JUN 15

Una y otra vez

Una y otra vez

Tamara Ireland Stone

Traducción de Jordi Vidal

B DE BLOK

Barcelona • Madrid • Bogotá • Buenos Aires • Caracas • México D.F.
Miami • Montevideo • Santiago de Chile

Título original: *Time After Time*
Traducción: Jordi Vidal
1.ª edición: febrero 2015

© 2013 by Tamara Ireland Stone
    Publicado por acuerdo con Taryn Fagerness Agency LLC
    y Sandra Bruna Agencia Literaria, S.L.
© Ediciones B, S. A., 2015
    para el sello B de Blok
    Consell de Cent 425-427 - 08009 Barcelona (España)
    www.edicionesb.com

Printed in Spain
ISBN: 978-84-16075-29-4
DL B 200-2015

Impreso por QP PRINT

Para Aidan y Lauren, hermanos y mejores amigos.
Los llevo en el corazón

El tiempo lo explicará.

JANE AUSTEN

AGOSTO DE 2012

1

San Francisco, California

Nada ha cambiado. Me ausenté durante tres meses, he estado en casa durante tres más, y, sin embargo, aquí todo sigue siendo tal como era antes de marcharme.

—¿Iréis a la fiesta de Megan la semana que viene? —pregunta Sam.

Recorro el círculo con la mirada mientras todos asienten. Por supuesto que irán. Ya casi ha terminado el verano, los padres de Megan están forrados y nunca paran en casa, una combinación que garantiza numerosas ocasiones de beber y relacionarse.

—¿Y tú? —Sam me señala con la barbilla—. ¿Estarás aquí, Coop?

—No puedo —respondo, rehuyendo su mirada—. Estaré fuera de la ciudad.

Echo la cabeza hacia atrás y engullo mi Gatorade. Los ocho hemos estado patinando por Lafayette Park durante la última hora y estoy muerto de sed.

—¿Otra vez? —Sam coge un puñado de doritos antes de pasar la bolsa a los demás—. Te perdiste la última fiesta, y fue épica.

Todos asienten de nuevo. Ryan repite como un loro:

—Épica de verdad.

Desvío la mirada al tiempo que me encojo de hombros.

—Me sabe muy mal perdérmela, pero prometí a mi madre que antes de que empiece la escuela iría a ver a mi abuela.

Me siento algo culpable por decir tantas mentiras: seguramente no iría a la fiesta de Megan aunque estuviera aquí, y mi madre no tiene ni idea de que iré a ver a mi abuela.

Sam carraspea y mira a los presentes.

—¿Quién tiene los chips? —Drew coge un buen puñado y van pasándose la bolsa hasta que por fin llega a las manos de Sam—. ¿Seguro que no hay otro motivo para que te vayas de la ciudad? —pregunta.

Todos dejan de masticar y se vuelven hacia nosotros, aguardando mi respuesta.

Me apoyo en mi monopatín.

—¿Como cuál?

Siento que se me acelera el corazón, pero me obligo a permanecer inmóvil. A mostrarme sereno e indiferente. Aparto a Anna de mi cabeza, confiando en que eso me haga parecer más convincente.

Sam esboza una sonrisa. Advierto que los demás se mueven incómodos. De repente, Sam introduce la mano en la bolsa, coge un dorito y lo lanza hacia mí. Lo esquivo y pasa rozándome la cabeza.

—Es broma —dice.

Todos ríen y vuelven a masticar.

Ryan saca el móvil del bolsillo y mira la pantalla.

—Se acabó el descanso.

Se levanta, hace saltar el monopatín a su mano y se encamina hacia la zona plana de cemento rodeada de carteles que indican que está prohibido patinar. Tiene razón.

Seguramente nos quedan diez minutos más antes de que algún vecino llame a la poli.

Todos los demás se marchan, pero Sam y yo nos quedamos atrás. Le tiendo la bolsa de doritos y cuando está a punto de cogerla echo la cabeza hacia atrás, dejo caer las migas que quedan en el interior de mi boca y le tiendo la bolsa vacía.

—Toma.

—Mira que eres tonto —dice con una sonrisa mientras la coge y la mete en su mochila. Me observa de reojo, sacude la cabeza y, con voz intencionadamente más suave, añade—: Bueno. La otra noche, Lindsey y yo nos encontramos con ella en el cine.

—¿Con ella? —Me limpio las migas de la boca con la manga de la camiseta—. ¿Cuál ella?

Me mira como si no pudiera creerse que lo haya preguntado.

—Megan. —Y agrega—: Megan, la maciza.

—¿La que da todas las fiestas?

—Sí, esa Megan. ¿Cuántas Megan macizas conoces?

Me encojo de hombros.

—No lo sé. Por lo menos... —Cuento con los dedos—. Cuatro.

Sam pone los ojos en blanco.

—Bueno, no sé nada de las otras tres, pero esta preguntó por ti. Otra vez. Me pidió que en esta ocasión procurara llevarte a su fiesta.

Me mira con expectación, como si esperase que diera un salto y echara a correr a casa para cambiar la fecha de mi vuelo. En lugar de eso, me levanto despacio y cojo mi monopatín.

—Lo siento. Iría, pero...

—Ya lo sé —me interrumpe—. Tu abuela. En Illinois. Está enferma.

—Exacto.

Sam se levanta a su vez y pisa con fuerza el extremo de su monopatín para que salte a su mano.

—Mira, has estado evitándola todo el verano, pero cuando la semana que viene empiece la escuela, no tendrás ninguna posibilidad. En mi opinión, solo hay una razón para que no le pidas a Megan que salga contigo.

—Porque es demasiado... ¿boba?

Megan es un año más joven que todos nosotros, y no he hablado lo suficiente con ella para saber si eso es cierto o no. Pero me veo obligado a arrancar a Sam de su «único motivo».

Se vuelve a mirarme.

—Si de verdad no te gusta, lo entiendo. Pero es amiga de Lindsey, ¿sabes? Podríamos salir los cuatro alguna vez. Sería divertido.

De pronto me imagino a Anna, a Emma, a Justin y a mí entrando en el cine; yo paso un brazo por los hombros de Anna, y Emma y Justin van tomados de la mano. Ya tengo un «nosotros cuatro». O, por lo menos, lo tenía.

—Me lo pensaré, ¿vale? —digo.

No pienso hacerlo, pero con algo de suerte consigo imprimir la suficiente sinceridad a mi voz para hacerle creer que sí.

—No te lo pienses. Pídele que salga contigo. Porque, ahora en serio, es simpática y, en mi humilde opinión, para nada boba. Y a Lindsey le cae bien —añade, a sabiendas de que eso podría ser un punto fuerte.

Los demás chicos vuelven a recoger sus cosas y me siento aliviado. Se despiden con murmullos y enfilan el camino que conduce al pie de la colina. Sam los sigue, pero de pronto se detiene y se vuelve hacia mí.

—¿Vienes?

—Voy a coger un café —respondo, haciendo un gesto hacia los comercios de Fillmore Street, en la dirección opuesta.

Sam me dirige un apresurado «Hasta luego» y se marcha con los demás mientras yo me encamino en el sentido contrario.

Cuando se pierden de vista, vuelvo sobre mis pasos hasta el banco que domina la bahía y contemplo los veleros que se deslizan por el agua.

Nada ha cambiado, pero ahora todo es distinto. Porque una vez Anna estuvo aquí, a mi lado, y me entregó una carta que me decía que algún día me encontraría con ella. Ojalá me hubiera advertido que, en cuanto lo hiciese, ya no sabría cómo estar aquí sin ella.

2

Cuando llego a nuestra casa en lo alto de la colina, abro la puerta principal y tiro mi monopatín y mi mochila al suelo del vestíbulo, junto a la planta de interior gigante. Subo las escaleras hacia mi habitación cuando oigo un ruido extraño procedente de la cocina. Como si alguien estuviera picando con un cuchillo. Y... cantando.

Papá no debe de haber regresado aún del trabajo y mamá tenía esta noche una reunión de planificación para recaudar fondos. Doy media vuelta y me dirijo hacia la cocina, y es allí donde encuentro a mi hermana, Brooke. Lleva el pelo recogido en una coleta y está de pie delante de la encimera, rodeada de verduras.

Tararea en voz baja mientras con un movimiento rápido de la mano con que sostiene el cuchillo corta un manojo de espárragos.

—¿Qué diablos estás haciendo? —pregunto.

Levanta la cabeza con una sonrisa en los labios y me saluda con un gesto. Sigue picando mientras recorro la cocina observando el montón de hortalizas, valorando la situación.

—He pensado hacer un sofrito para cenar —anuncia con orgullo.

Me planto a su lado y me reclino contra la encimera.

—¿Desde cuándo sabes hacer sofrito?

Se encoge de hombros, sin dejar de picar.

—Ni idea. Estoy ensayando para mi nueva vida sin comidas comunitarias. Caroline me ha mandado un mensaje de texto y ahora mismo, mientras hablamos, está llevando cajas desde su Prius a nuestro nuevo piso. —Me mira—. Una de nosotras tendrá que saber cocinar.

Brooke deja el cuchillo sobre la tabla para cortar, recoge los espárragos y los deja caer en un cuenco. A continuación se frota las manos.

—Dentro de unos días estaré de vuelta en Boulder, habré terminado con las residencias para siempre y me instalaré en mi nueva habitación. —Me mira a los ojos—. Y volveré a vivir con gente que me cae bien. Compañeras de piso guais. Como en Chicago.

Brooke y yo estuvimos durante la mayor parte del verano hablando de los tres meses que pasé en Evanston 1995 mientras ella permanecía atrapada en Chicago 1994. Me habló de las dos compañeras de piso que encontró a través del *Sun-Times* y del desván que compartieron en Wrigleyville. Cómo pasaba los días sirviendo mesas en un restaurante y las noches escuchando música en vivo en las discotecas del lugar. A sus compañeras les gustaba todo, del jazz al punk, y no se perdieron un solo concierto. Incluso la noche del folk de los martes, cuando una mujer robusta se sentaba en un taburete de madera con su guitarra acústica, tocando viejas canciones como «American Pie» y «Leaving on a Jet Plane» en un local atestado de gente que la acompañaba cantando. Como ya sospechaba que haría, Brooke se adaptó bien. Y, como yo, le habría gustado quedarse mucho más tiempo donde estaba.

Pero un domingo por la tarde, ella y sus compañeras de piso estaban pasando el rato en la azotea, tomando el sol y hojeando el periódico, cuando una de ellas topó con un artículo sobre los planes del ayuntamiento para demoler el Chicago Stadium. Brooke aguzó el oído. No había vuelto en más de dos meses... desde la noche en que nos perdimos el uno al otro.

Aquella tarde tomó un tren elevado y dos autobuses hasta el estadio. Estaba cerrado, pero lo rodeó mirando dentro cada vez que un hueco se lo permitía, recordando cómo desaparecí en un visto y no visto mientras Pearl Jam actuaba en el escenario.

Continuó hasta la entrada trasera y en un momento dado sintió una punzada de dolor en el estómago. Menos de un minuto después se dobló sobre sí misma, gritando y cerrando los ojos con fuerza. Cuando volvió a abrirlos, seguía encorvada en la misma posición, pero el Chicago Stadium había desaparecido, sus compañeras del piso de Chicago no estaban y se hallaba sola en mi habitación de San Francisco, en el mismo sitio del que habíamos salido al principio.

—Así pues... —Brooke coge el brécol y vuelve a picar—. ¿Vas a volver a ver a Anna?

No hay nadie más en casa, pero aun así lanzo una mirada paranoica alrededor antes de contestar.

—Sí. Vuelve de su intercambio el sábado. He pensado ir el miércoles. Le daré unos días para que vea a sus amigos y se adapte después de México.

—¿Y qué le dirás a mamá?

Me encojo de hombros.

—Ya se lo he dicho: iré a hacer escalada con Sam.

Ahora es Brooke quien escudriña la estancia para cerciorarse de que aún estamos solos.

—¿Sabes? —dice en voz baja—, te habrías facilitado mucho las cosas si hubieras ido a Evanston y vuelto como si nunca te hubieras marchado.

Me quedo mirándola, pero ella no levanta la vista.

—¿Y volver a hacer tres días enteros? Si yo hago esos días, estoy seguro de que tú también. ¿De verdad quieres volver a hacer tres días enteros de tu vida?

—Eso depende —contesta Brooke—. Si me pusieran otra multa por exceso de velocidad, sería un punto a favor. Pero si conociera a un chico increíble y tú lo borraras, no te lo perdonaría jamás. —Me mira y sonríe—. Pero no es que recordara nada de eso.

—Bueno, no tengo ni idea de qué borraría la segunda vez. Así pues, si no te importa, seguiré utilizando lo de la escalada.

Brooke carraspea.

—Desde luego, también te facilitarías mucho las cosas diciendo a mamá y a papá adónde irás.

—Sabes que no puedo hacer eso.

Brooke lo sabe todo, pero he contado muy poco a mis padres sobre mi estancia en Evanston. Curiosamente, apenas me interrogaron, ni siquiera acerca de mi abuela, Maggie. Me indicaron que me sentase en la salita y me dijeron que los viajes debían acabarse enseguida. Que es demasiado peligroso, y que no puedo controlarlo. Y que ha llegado la hora de que empiece a «vivir en el presente», en palabras de mamá. «Como una persona normal.» No creo que papá estuviera de acuerdo del todo, pero aun así permaneció sentado a su lado en silencio y asintió.

Eso fue hace tres meses. Ni me atrevo a pensar en cómo se enfurecería mamá si se enterara de todos los conciertos a los que Brooke y yo hemos asistido este verano. O de que la semana pasada fui a La Paz 1995. O de que, por ejemplo, Anna Greene existe.

—Tengo una idea. —Brooke me da un codazo y añade—: Llévame contigo.

Como si tal cosa.

Me echo a reír.

—Ni hablar, Brooke.

Me mira con expresión de súplica, como si eso pudiera afectar mi decisión.

—No —repito, esta vez con algo más de determinación en la voz—. Además, me delatarías. Las salidas de escalada requieren acampar. —Enarco las cejas y agrego—: Mamá y papá jamás se creerían que vas de acampada.

—¡Puedo hacerlo! —Se cruza de brazos—. Puedo hacerlo —repite.

La miro de soslayo.

Se lleva las manos a las caderas y me mira fijamente.

—Oye, yo soy tu hermana —dice en tono serio— y ella es tu novia, y no parece que puedas traerla aquí... nunca, ¿sabes? Y desde luego no vas a llevar a mamá y a papá allí. De modo que podrías pasar el momento de «conocer a los padres» conmigo.

—No.

—Por favor... —Junta las palmas de las manos delante de ella—. Sabes que quiere conocerme.

Ahora me dirige la mirada que reserva para los momentos en que sabe que tiene razón. Y la tiene. Cuando traje a Anna al San Francisco actual, se quedó pasmada en el acto. Le encantaría conocer a la gente de mi mundo tal como yo conozco a la del suyo, pero nunca lo hará.

Me acerco a la nevera, pero noto los ojos de Brooke perforándome la espalda. Finalmente se da por vencida y se vuelve hacia la cocina. De inmediato se oye el aceite crepitar.

—¿Brooke? —digo, y me lanza una rápida mirada por

encima del hombro. No abre la boca, pero sé que está escuchando—. Si surge algo ¿me encubrirás?

—¿Otra vez? —pregunta.

—Sí —respondo—. Otra vez.

Asiente.

—Por supuesto. —Tras unos instantes de silencio, añade—: ¿Qué vas a hacer con el Jeep?

—¿A qué te refieres?

—No puedes dejarlo en el garaje si creen que vas de acampada. Saben que Sam no tiene coche.

—Hum. Buena observación.

Si estaciono el Jeep en cualquier calle o en un aparcamiento, se lo llevará la grúa. No puedo dejarlo en casa de Sam sin inventarme alguna excusa complicada. No me puedo creer que no haya pensado en el Jeep.

—¿Conoces a mi amiga Kathryn? —pregunta Brooke.

—Sí.

—No necesitaba su coche en la facultad, y sus padres no querían que ocupara sitio en el camino de entrada, de modo que alquilaron un garaje. —Guarda silencio antes de agregar—: Lo encontraron en *Craigslist*.

—Gracias —digo, al tiempo que pienso que entraré en ese sitio web después de cenar.

—¿Ves cómo me necesitas?

Brooke no se vuelve, pero me parece oír una satisfacción engreída en su voz. Hasta que mira por encima del hombro con una media sonrisa desalentada, y no hay ni un atisbo de engreimiento en su expresión. Tan solo parece triste.

—Oye, ¿qué canturreabas antes?

Se lo piensa durante un instante y responde:

—Coldplay.

Saco el móvil del bolsillo y hago una búsqueda rápida.

—¿Múnich? ¿En 2002? Parece una discoteca pequeña.

Gira la cabeza y suelta un chillido.

—¿De veras? —pregunta.

Tiene los puños cerrados a los lados del cuerpo, y cuando asiento con la cabeza se balancea hacia delante y hacia atrás sin moverse de sitio. Hace girar el selector de la cocina y la llama azul desaparece debajo del quemador. Luego pasea la mirada por la estancia.

—Mamá y papá se cabrearán de lo lindo cuando lleguen a casa y se encuentren con este desorden —dice.

—Sí, pero nunca se acordarán.

Esto lo repetiremos. Jugar con varios días parece peligroso; pero retroceder unas horas en el tiempo y así no tener que decir a mamá y papá que estábamos en Múnich para un concierto de Coldplay, parece un beneficio adicional del que debería sacar provecho.

—Cuando regresemos, podrás volver allí donde estabas. Cenaremos y fingiremos que somos una familia feliz.

—Somos una familia feliz.

—Créeme —digo mientras navego por la página web de la discoteca—. Eso solo se debe a que les alegra tanto el que hayas vuelto a casa que por el momento han olvidado que están furiosos conmigo por haberte perdido. Tan pronto como regreses a la escuela, los tres tendremos de nuevo las mismas peleas de siempre.

Voy clicando hasta dar con una vista interior, y luego amplío y acerco la mejor foto que puedo encontrar. No hay modo de saber si en 2002 tenía el mismo aspecto, pero lo más probable es que, aunque hayan hecho un par de reformas, los aseos sigan en el mismo sitio.

—Muy bien, estamos listos.

Echo un vistazo al reloj del microondas y, cuando me vuelvo otra vez, Brooke está plantada delante de mí, con los brazos extendidos.

Baja la vista para mirarse la ropa.

—¿Voy bien? —pregunta, refiriéndose a sus vaqueros, una blusa sencilla y un par de chancletas.

No estoy muy seguro de si es conveniente llevar chancletas en marzo, pero no quiero malgastar tiempo esperando a que elija otra cosa.

—Sí. Vas bien.

Acto seguido le cojo las manos, ella aferra las mías con fuerza y sacude nerviosamente los brazos como hace siempre. A continuación cierra los ojos.

Yo cierro los míos y desaparecemos.

El miércoles por la tarde cargo el Jeep con todo mi material de acampada y escalada, y hago una última comprobación de las cosas realmente importantes. El recipiente de plástico blanco está en el asiento delantero, y dentro de él lo he guardado todo. Cuando regrese necesitaré una docena de botellas de agua de plástico, un Starbucks Doubleshot y un *pack* de seis latas de Red Bull.

La música suena fuerte y estoy tan absorto en mis pensamientos que me sobresalto al notar un contacto en el hombro. Cierro la tapa de golpe y, cuando me vuelvo, veo a mamá que, aparentemente divertida, se lleva una mano a la boca.

—¡Lo siento! —grita para hacerse oír sobre la música—. No pretendía asustarte.

—No pasa nada. Espera.

Me inclino a través de la ventanilla abierta para bajar el volumen.

—¿Cómo van los preparativos? —pregunta. Echa una mirada desde el capó del coche hasta la zona trasera de carga, ahora repleta hasta los topes de material de acampada y cuerdas de colores. La capota ya ha sido retirada y fijada.

—Bien —respondo—. Creo que lo tengo todo.

—Eso es bueno.

Se queda allí, asintiendo y sonriendo, como si reuniera el valor para decir algo más. Reparte su peso entre ambos pies y se planta firmemente en el suelo.

—¿Qué ocurre?

El tono de mi voz deja muy claro que en realidad no quiero saberlo.

—¿Hay alguna posibilidad de que te haga cambiar de opinión sobre esta excursión de acampada? —Cruza los brazos sobre el pecho—. Es solo que... Brooke vuelve a Boulder este fin de semana y luego tú empezarás el último año, y estos son los últimos días que nos quedan juntos como una familia.

Quiero decirle que hemos tenido todo un verano y no hemos hecho nada «juntos como una familia» ni un solo segundo. No sé qué le hace pensar que esta es la semana indicada para empezar, salvo el hecho de que me marcho de la ciudad y no quiere que lo haga.

—No pasará nada, mamá. Quiero ir a escalar con mis amigos —digo, remetiendo mi saco de dormir en la parte trasera del Jeep para que no salga volando cuando empiece a conducir—. Solo serán unos días. El viernes estaré de regreso —añado, y es verdad.

—¿Tendrás cobertura de móvil?

—Seguramente no. Ya sabes cómo es aquello. Puedes probarlo, pero será difícil.

Sí. Básicamente porque mi móvil estará en la guantera del Jeep, el cual permanecerá encerrado en un garaje que ayer encontré en *Craigslist*.

—¿Bennett?

—¿Sí?

—No viajarás, ¿verdad? —pregunta, con la frente arrugada.

Me quedo inmóvil y obligo a mi expresión a parecer relajada.

—Me dijiste que no viajara.

—Sí. Te lo dije.

Me encojo de hombros y la miro fijamente a los ojos.

—Y por eso estoy cargando mi coche para ir de acampada.

¿Es esto una mentira? Técnicamente no lo es, pero estoy seguro de que mamá no lo vería del mismo modo. Se queda mirándome y espero. No sé si acabo de decir lo correcto o lo equivocado, o algo entre ambas cosas, con lo que no acaba de decidir qué hacer.

Parece preocupada y, Dios, ojalá no lo estuviera. Si se relajara y confiara que tengo todo esto bajo control, podría contárselo todo: sobre Maggie, Anna y los Greene. Y entonces sabría exactamente adónde voy, cuándo volveré y qué hay dentro de la caja del asiento que sigue mirando pero por la que no ha preguntado.

—Ten cuidado, ¿vale?

—Siempre lo tengo. —La beso en la mejilla—. Te preocupas demasiado, mamá.

Quiero decir más, pero no lo hago.

Sé por la expresión de su cara que también ella tiene mucho más que decir, pero en lugar de eso me dedica una sonrisa pesimista y dice:

—Tú lo pones muy difícil no hacerlo, cariño.

Y lo deja así.

AGOSTO DE 1995

3

Evanston, Illinois

Cuando abro la puerta, las campanillas golpean contra el cristal y un tipo de pie junto a la mesa de novedades en rústica se vuelve y me lanza una fugaz mirada. Entro y miro alrededor. Nunca he visto la librería tan llena de gente.

Enfilo el pasillo principal, buscando a Anna entre las estanterías. Estoy en mitad de la tienda cuando la veo detrás del mostrador. Está atendiendo a un cliente, así que guardo la distancia y espero, tratando de hacer caso omiso de los latidos de mi corazón contra la caja torácica.

Tiene el pelo más largo de como lo recuerdo, y se me ocurre que cada vez que la vi en La Paz durante el verano lo llevaba sujeto con una horquilla o recogido en una coleta. Ahora está aún más rizado, y siento el conocido impulso de tirar de uno de esos mechones para contemplar cómo vuelve a su posición como un muelle. ¿Qué hay de distinto en ella? Parece bronceada, contenta y... de algún modo incluso más guapa que antes.

Está charlando con el cliente, con los dedos volando mientras teclea en la caja registradora. Luego coge su tarjeta de crédito, la pasa por un artilugio llamativo y se la devuelve. Y entonces me ve.

Me limito a sonreír. Observo cómo su expresión cambia, transformándose en esa combinación perfecta de sorpresa y alivio.

Anna vuelve a mirar al cliente y empuja la repleta bolsa hacia él.

—Aquí tiene —dice con un atolondramiento que el momento no exige.

No deja de mirar en mi dirección.

—Gracias —dice el hombre.

—De nada. Que tenga un buen trimestre.

En lugar de coger la bolsa, él apoya la cadera en el mostrador y la mira, como si esperara que dijera algo más. Me pregunto si cree que esa sonrisa es para él. A fin de cuentas está de pie delante de ella. Pero sé desde mi perspectiva que no mira al hombre, sino detrás de él. Anna tiene muchas sonrisas distintas, pero la que exhibe ahora mismo la reserva para mí.

—Adiós —dice.

Empuja la bolsa de nuevo, esta vez con más fuerza, y él debe de captar el mensaje porque la coge con ambas manos y se encamina hacia la puerta principal.

Anna empieza a acercárseme.

—¡Mecachis! —exclama el tipo—. Casi se me olvida.

Se gira y vuelve hacia la caja, y Anna regresa a su sitio, adoptando de nuevo un aire oficioso.

La observo, reproduciendo esa expresión de sorpresa que tenía en la cara hace solo un momento. Pienso en lo bonito que sería volver a vérsela.

No hay nunca nadie en la sección de viajes, así que me arriesgo. Ocultando la cabeza detrás de las estanterías, desaparezco de su vista y cierro los ojos. Me imagino la fila en el lado contrario de la librería, y cuando los abro estoy allí. Me quito la mochila y la dejo a mis pies.

Aún oigo su voz en la caja, pero ahora estoy demasiado lejos para distinguir lo que dice. Me quedo mirando el estante marcado con la palabra MÉXICO, recordando la vez que llegué aquí el pasado abril.

Debería haber estado estudiando, pero no podía dejar de pensar en ella. Me había pasado todo el día buscando una ocasión de sorprenderla a solas para poder revelarle la segunda parte de mi secreto, pero no la había encontrado. Así pues, antes de cambiar de opinión, me enfundé los brazos en las mangas de mi chaqueta y me dirigí hacia la librería.

Su cara se iluminó por completo cuando me vio entrar, y lo único que yo quería era besarla. En lugar de eso, le dije que estaba allí para buscar un libro sobre México. Me llevó hasta aquí, la sección de viajes.

Al principio hablamos de nuestro trabajo, pero entonces me interrumpió en mitad de la frase y dijo: «Quiero oír el resto de la segunda cosa.» Cuando la miré a los ojos, supe que hablaba en serio. De modo que se lo conté todo. Que nací en 1995. Que tengo diecisiete años en 2012. Que no debía estar allí. Que podía ir de visita, pero no quedarme.

Y entonces, a mi pesar, finalmente hice lo que había querido hacer desde el día que la conocí. Me puse de rodillas y la besé, sin importarme mis normas ni dónde y cuándo debía estar. Cuando me disponía a retirarme como sabía que tenía que hacer, noté sus manos sobre mi espalda atrayéndome hasta que estuvimos apretados contra la estantería y no había otro espacio al que ir sino más cerca uno del otro. La besé con más fuerza.

Las campanillas de la puerta tintinean y me devuelven a la realidad.

—¿Bennett? —oigo llamar a Anna desde el otro lado del local.

Me agacho detrás de la esquina y aprieto el pecho contra el extremo de la estantería, manteniendo los ojos fijos en el pasillo y esperando a que se acerque. No la veo ni la oigo, así que guardo silencio mientras escucho una respiración, y aguardo a que se haga visible.

Me dispongo a dar un paso adelante cuando noto que sus manos me agarran por los costados. Pego un bote.

—Ya te tengo —me susurra al oído.

Su frente cae sobre mi nuca y sus brazos me rodean. Puedo notar su respiración.

—Eso es quedarse corto —digo, llevándole las manos a mi cara y besándole los dedos.

—No he visto adónde has ido —dice.

—Sí. —Suelto una risita—. ¿Te acuerdas? Hago eso.

—Solo para jugar conmigo.

Sé que pone los ojos en blanco por el tono de su voz.

—Solo para jugar contigo.

—Quizá deberías pensar en hacer algo más con ese talento tuyo que sorprender a tu novia.

—Repite esto último.

Se ríe. Me estrecha más fuerte.

—Sorprender a tu novia.

Sonrío.

—Me gusta cómo suena.

Aflojo la presión de sus manos sobre mi cintura y me vuelvo. Tiene toda la cara tan iluminada, que juro que podríamos apagar todas las luces de la librería y todavía nos veríamos uno al otro perfectamente.

—Hola.

Enrosco un mechón de sus rizos alrededor de mi dedo.

—Hola. —Estira un brazo y me alborota el pelo—.

Estás aquí —dice, pero algo en su voz la hace parecer insegura.

—Estoy aquí. —Le pongo las manos en las mejillas—. Te he echado de menos con locura.

Frunce los labios y asiente levemente, y antes de que pueda decir nada más le echo la cabeza hacia atrás y la beso, con dulzura, despacio, saboreando la sensación de estar en este local con ella otra vez. La beso con más intensidad. Y, como aquella primera noche, me devuelve el beso, atrayéndome hacia sí, como si aún me quisiera aquí y todavía confiara en mí de corazón, aunque seguramente ya sabe que no debería.

4

Cuando el reloj marca las 21.02, Anna recorre el perímetro de la tienda, apagando luces y ordenando libros a su paso. Giro el cartel de la puerta de ABIERTO a CERRADO y salimos. Ella pulsa algunos botones del teclado junto a la puerta para activar la alarma y echa el cerrojo de seguridad a nuestra espalda.

Busco su mano y caminamos en silencio hacia el final de la manzana. Los conocidos sonidos de la cafetería se intensifican a cada paso y tomo una gran bocanada de aire, inhalando el olor. Estamos a punto de franquear la entrada cuando Anna se detiene.

—¿Quieres entrar a tomar algo? Podríamos entretenernos un poco.

Miro a través del escaparate. No está tan lleno como cuando tocan grupos los domingos por la noche, pero aun así hay bastante gente. Todos los sofás están ocupados y la única opción que veo es una mesa alta en el centro del local. Apenas he estado a solas con ella en todo el verano, y esta noche no me apetece mucho compartirla con nadie.

—Esperaba algo un poco más tranquilo.

Se vuelve de cara a mí y me toma la otra mano.

—En ese caso, tienes dos opciones: mi habitación o la tuya. ¿A quién quieres enfrentarte primero, a mis padres o a Maggie?

Imito el sonido del timbre de un programa concurso.

—No me gusta ninguna de esas. ¿Cuál es mi tercera opción?

Se ríe y sacude ligeramente la cabeza.

—No hay ninguna tercera opción.

—Seguro que sí.

Anna levanta las cejas y se queda mirándome.

—Evitaremos a tus padres y nos colaremos en tu dormitorio. Nadie tiene que saber aún que estoy en la ciudad.

—Demasiado tarde. Ya les he dicho que vendrías esta noche.

Chasqueo los dedos y me río entre dientes.

—Maldita sea. —Anna vuelve a mover la cabeza mientras considero mis opciones—. Aún no estoy preparado para Maggie —digo.

Anna asiente comprensivamente y me suelta la otra mano. Seguimos andando hacia su casa.

—Bueno, ¿cómo se lo han tomado? —pregunto.

—¿Mis padres? —Se encoge de hombros—. Bastante bien, supongo. Mamá lleva con más calma tu vuelta que papá, lo cual me ha sorprendido. De hecho, no estaba demasiado alterado hasta que he mencionado que fuiste a verme a La Paz. Eso no le ha hecho ninguna gracia. —Gira la cabeza hacia la mía—. Ah, y le he dicho que has venido a verme dos veces, no cuatro, así que cíñete a eso si pregunta, ¿vale?

Espero en silencio que no lo haga. También estoy silenciosamente decepcionado de que haya empezado a mentir a sus padres. No lo había hecho antes de que apareciera yo.

—No sé qué piensan en realidad —dice—. La otra noche, mi mamá entró en mi habitación para decirme que le caes bien, y que se alegra de que pasemos juntos nuestro último año en la escuela. De hecho parecía atolondrada cuando se puso a hablar de la vuelta a casa, el baile de gala y cosas así. —Noto un nudo subiéndome por la garganta y me lo trago—. Pero entonces, ella y papá debieron de volver a hablar de ello, porque anoche, a la hora de cenar, cargaron las tintas. Me echaron un buen sermón acerca de que procurara concentrarme en mis estudios y no descuidara mis notas por tu culpa.

—¿Por mi culpa?

—Lo sé, ¿vale? —Me guiña el ojo—. Por si acaso.

Levanto una ceja.

—¿Por si acaso?

Se encoge de hombros de nuevo.

—Vamos, no eres tan importante.

—No. Claro que no lo soy —digo, reprimiendo una sonrisa.

Me aprieta la mano.

—Lo eres, ¿sabes?

Aprieto la suya.

—Tú también.

Pasamos junto al seto que delimita el jardín de sus vecinos y la casa de Anna se hace visible. Parece exactamente igual que cuando la dejé en el mes de mayo, con el porche que da toda la vuelta y sus arbustos descuidados. En la ventana de la cocina se ve una luz tenue, como todas las noches.

Una vez dentro, Anna me conduce hacia el sonido procedente de la salita. Doblamos la esquina y veo a sus padres. La señora Greene tiene los pies recogidos bajo el cuerpo y la cabeza recostada sobre el hombro del señor Greene. Están viendo un viejo programa de televisión. El cual, me recuerdo al instante, seguramente no es nada viejo.

Anna se para a mi lado y me coge el brazo con ambas manos. El movimiento debe de llamar la atención de su padre, porque de repente levanta la mirada y nos ve. Abre los ojos como platos y da a la señora Greene un leve codazo que la obliga a enderezarse.

—Hola. No os hemos oído entrar.

Apunta el mando a distancia hacia el televisor y enmudece el sonido.

El señor Greene se levanta con la mano extendida, y aunque resulta demasiado formal para él —para nosotros—, se la estrecho cortésmente. La madre de Anna me saluda sin mucho entusiasmo desde su posición en el sofá.

—Nos alegramos de que hayas vuelto —dice, pero su voz suena falsa y poco sincera. Entonces añade la palabra—: Por fin.

No es una ocurrencia tardía; son más bien las únicas palabras que trataba de no pronunciar, pero no ha podido evitar que se le escaparan.

—Yo también me alegro de verles —respondo.

Entonces me quedo allí de pie, asintiendo y esperando a que uno de ellos diga algo más al tiempo que se me encoge el estómago. Seguramente debería dar gracias de que no se muestren furiosos conmigo. A fin de cuentas, no solo dejé plantada a su hija en mitad de una cita, sino que además desaparecí de todas sus vidas en mitad de... bueno, todo. Sé que sería excesivo esperar un abrazo maternal o unos golpecitos paternales en la espalda, y no puede decirse que confiara en verles derramar lágrimas de alegría ante la presencia de mi persona en su salita. Pero esperaba más o menos que no partiéramos de cero. O, por lo que parece, de menos de cero.

Anna me aprieta el brazo y la miro. A diferencia de la

mirada hueca de su madre, su expresión lo dice todo. Me sonríe, con los ojos llenos de alegría y admiración, como si no pudiera creerse que esté realmente ahí. Sin siquiera pensarlo, suelto un suspiro de alivio y la beso en la frente; ella vuelve a apretarme el brazo y se pone de puntillas. Pega unos brincos sin moverse de sitio.

Cuando miro a sus padres de nuevo, tienen los ojos clavados en Anna. Pero luego la mirada de la señora Greene se desplaza lentamente hacia mí y las comisuras de su boca se contraen en una media sonrisa, casi como si no pudiera contenerse. Asiento con la cabeza, agradecido.

—¿Cómo le va a tu hermana?

La voz del señor Greene me coge por sorpresa y giro bruscamente la cabeza hacia él.

—Pues... Está bien. —Se me ocurre enseguida un modo de formular el resto de mi respuesta para darle la mínima información posible—. No estaba claro durante algún tiempo, pero ha vuelto a casa.

Lo dejo así y espero que no me insista pidiendo más información, porque en ese caso tendré que mentirle y me agradaría mucho dejar de hacerlo.

—Celebro oír eso. —Aguarda un momento, y luego parece a punto de añadir algo—. Ah, no importa, seguramente no quieres hablar de ello.

—No mucho —admito.

Seguramente mi cautela no me hará ganar puntos, pero ahora que lo pienso, eso podría ser buena cosa. Si comienzo desde abajo, no caeré desde muy alto cuando descubran la verdad.

—Vamos arriba —anuncia Anna, acudiendo al rescate.

Antes de que sus padres puedan decir nada más, me saca de la estancia. Solo hemos subido los dos primeros peldaños cuando oímos gritar a su madre:

—Deja la puerta abierta.

Anna se detiene, se sujeta a la barandilla con una mano y se tapa la cara con la otra.

Se la quita de encima.

—Sígueme. Me muero de ganas de enseñarte una cosa.

No ha cambiado mucho desde la última vez que estuve en esta habitación. La imponente colección de CD de Anna ocupa todos los estantes, solo interrumpida por las docenas de trofeos de carreras que sujetan los estuches ordenados alfabéticamente en su sitio. Las paredes están recubiertas de dorsales de papel que estuvieron prendidos con imperdibles a su suéter y fotos suyas atravesando la cinta de meta.

El tablón de anuncios colgado sobre su escritorio todavía contiene la misma entrada solitaria del concierto de Pearl Jam de marzo de 1994, pero a su lado distingo algo nuevo: una foto enmarcada de Anna, Emma y Justin. Emma tiene la boca abierta de par en par, como si gritara. Está de pie detrás de Justin, con los brazos rodeándole ligeramente el cuello, y Anna se encuentra a la derecha de Justin, con la cabeza recostada sobre su hombro. Debieron de tomar la foto el pasado junio, después de que yo dejara la ciudad pero antes de que Anna saliera hacia La Paz. Parecen contentos.

—¿Cómo está Emma?

—Esto... no muy bien. Fui a su casa al poco de regresar y me contó que ella y Justin rompieron durante el verano.

—¿De veras? ¿Por qué?

Anna se vuelve de espaldas a mí, pasa los dedos por los estuches y elige uno.

—No sé exactamente por qué, ya que aún no he oído la versión de la historia de Justin. El otro día pasé por la tienda de discos y estaba demasiado ocupado para hablar. Pero, según Emma, él no cree que tengan suficientes cosas en común..., que están mejor como amigos.

Introduce el disco en el reproductor de CD y, cuando la música arranca, me suena, pero no puedo situar la canción. Pero entonces empieza la letra e identifico enseguida la voz de Alanis Morissette. Estoy tratando de recordar qué álbum es este cuando Anna dice:

—¿Has oído esto antes? —Agita en el aire el estuche de *Jagged Little Pill* y asiento con la cabeza—. Me encanta. He estado poniendo este CD todo el verano.

Ojalá pudiera decirle a Anna que tiene mucho más que esperar de Alanis, pero me lo guardo. En lugar de eso le digo que consultaré el calendario de la gira y la llevaré a un concierto.

Veo el mapa que ocupa la pared más grande de su habitación. Me acerco y me quedo allí plantado, contando el número de chinchetas rojas que Anna usa para señalar sus viajes. Nueve, incluida la nueva situada en la parte inferior de la península de Baja. Cinco más que la primera vez que estuve aquí, admirando el intenso deseo de Anna de ver el mundo y disfrutando de la idea de que yo podía proporcionarle un pedacito.

Me vuelvo y la encuentro de pie junto a mí.

—Toma.

Me entrega una bolsita y miro dentro. Mi carnet de estudiante de Westlake. Una postal en blanco de Ko Tao. La postal que Anna me escribió en Vernazza Square. Un lápiz amarillo gastado. Un gancho. Una de sus chinchetas.

—Te lo dejaste en tu escritorio en casa de Maggie. Pensó que era mejor que te lo guardara yo.

—Gracias.

Saco la postal de Vernazza y le echo una mirada mientras paso un dedo por el borde. Anna me observa mientras la leo, y noto que contengo la respiración cuando llego a la última línea, «dondequiera que estés en este mundo, es donde quiero estar», y me invade una ola de culpabilidad. Siento una opresión en el pecho cuando dejo caer la postal en el interior de la bolsa, que tiro al suelo al lado de la puerta junto a mi mochila.

—¿Es esto lo que querías enseñarme?

Los ojos de Anna se encienden.

—No.

Se da la vuelta y cruza la habitación. Se agacha y lucha con algo que hay debajo de su cama.

—Cierra los ojos —dice por encima del hombro.

En menos de un minuto la noto detrás de mí, sus manos sobre mi cintura, empujándome hacia delante.

—Mantenlos cerrados. Unos pasos más. Vale, para. —La siento a mi lado—. Ya puedes abrirlos.

Mis ojos tardan un momento en adaptarse, y no sé exactamente adónde debo mirar. Pero entonces veo algo extendido sobre su edredón, y me acerco unos pasos más.

Es una foto, impresa en una enorme lámina de papel grueso. Reconozco en el acto las rocas altas y los abruptos acantilados.

—¿Es nuestra playa? —pregunto, pero ya sé que sí.

Ese es el lugar donde la encontré en La Paz. El mismo sitio al que he ido una y otra vez en el transcurso de todo el verano para sorprenderla durante sus carreras matutinas. Me inclino para verla mejor.

—Esto es increíble. ¿Cómo has conseguido una reproducción del sitio exacto?

—No es una reproducción —dice mientras se lleva las manos a las caderas—. La hice yo.

No sé nada de fotografía, pero me parece de lo más impresionante. Puedo ver todas las diminutas grietas en la cara rocosa, y el alto acantilado que se refleja perfectamente abajo en el agua.

—¿Tú hiciste esto?

—La señora Moreno me ayudó. —Recuerdo que me dijo que su mamá anfitriona en La Paz era también fotógrafa—. Pensé que podrías colgarla en la pared de tu dormitorio.

No precisa en qué dormitorio y opto por no preguntar.

—Pero espera... mira esto —añade, levantando un dedo. Anna abre el velcro de una bolsa de lona negra y saca una cámara de 35 milímetros. Pasa el pulgar por la parte de atrás y por encima de los botones—. Mira qué me regaló. Supongo que es bastante vieja, pero no me importa.

Parece antigua. La veo girar el largo objetivo, separarlo del cuerpo y sustituirlo por otro más grueso y más corto. Se lleva la cámara a la cara y no puedo ver más que su boca. Oigo el chasquido del obturador y un extraño sonido motorizado.

Después de colocarse la correa sobre el hombro, Anna vuelve a estirar el brazo debajo de la cama, que regresa sujetando un sobre grande. Se deja caer en el suelo y me indica que haga lo mismo. Nos sentamos juntos, nuestras caderas tocándose, y deja un montón de imágenes sobre la alfombrilla y me cuenta la historia de cada una de ellas. Hay muchísimas playas, rocas y miradores, pero mi vista se centra en un primer plano de un hombre de piel oscura y arrugada que sostiene una guitarra y exhibe una sonrisa muy afable.

—Estas son muy buenas —le digo—. Buenísimas.

Observo cómo el rubor se extiende por sus mejillas.

—Tienen un cuarto oscuro en el sótano. Me pasé horas allí con la señora Moreno y su hija, aprendiendo a revelar películas. Fue increíble. —Se encoge de hombros—. Cuando se lo conté a papá, dijo que podría construirme uno en el viejo cobertizo del jardín de atrás. —Coge su cámara y la dirige hacia mi rostro—. Hasta entonces, es fotografía en una hora. Sonríe. No tengo ni una sola foto tuya.

Le rodeo la cintura y la bajo sobre la alfombrilla a mi lado.

—No hay ningún motivo para sacarme una foto si no sales tú.

Se ríe mientras extiende los brazos en el aire lo más alto que puede y apunta el objetivo hacia nosotros. Clic. Me besa en la mejilla. Clic. Ella saca la lengua y yo me parto el pecho. Clic. Y, entonces, en una fluida serie de movimientos, le quito la cámara de las manos, la dejo en el suelo y me tiendo sobre ella para besarla como he querido hacer toda la noche.

Pero cuanto más nos besamos, más culpable me siento. Prometí que ya no le ocultaría secretos.

—Anna —digo—. Tengo que decirte una cosa.

La llamada es tenue, pero nos sobresalta lo suficiente para que salgamos disparados en direcciones opuestas. La puerta estaba entornada, como habían pedido, y no hemos tenido mucho tiempo, pero nos movemos tan rápido que para cuando la señora Greene asoma la cabeza, Anna y yo ya estamos de pie, con una generosa porción de alfombrilla entre ambos.

—Tu padre y yo vamos a acostarnos —anuncia.

—Vale. Buenas noches —dice Anna alegremente.

Su madre carraspea.

—Eso significa que Bennett debe marcharse ahora.

—Mamá... —bufa Anna.

—No pasa nada. —Me apresuro a cruzar la habitación hacia mi mochila—. Te veré mañana —le digo.

Paso junto a la señora Greene, salgo al pasillo y me encamino hacia la puerta principal.

Estoy a punto de girar el pomo cuando oigo la voz de Anna a mi espalda.

—¡Espera un segundo! —Me vuelvo y la encuentro en mitad de la escalera—. ¿Adónde vas? —susurra.

Me encojo de hombros.

—No lo sé. Seguramente iré a casa y volveré por la mañana.

Mira a su alrededor para cerciorarse de que su padre no puede oírla.

—¿Qué casa? ¿Tu casa-casa? ¿La casa de San Francisco?

No añade «la casa de 2012», pero sé que es eso a lo que se refiere.

—Sí, es demasiado tarde para ir a casa de Maggie ahora. No te preocupes. Volveré mañana. Iré a su casa y entonces podremos ir a hacer algo juntos.

Niega enérgicamente con la cabeza.

—No. Quiero decir... estás aquí. No puedes... irte.

No quiero irme, pero veo la expresión en la cara de la señora Greene hace un minuto y creo que seguramente será mejor no tentar a la suerte esta noche. Podría regresar a San Francisco, al pequeño garaje, y dormir en el Jeep. O podría volver a mi habitación y confiar en que mis padres no entraran y me descubrieran. Bien pensado, quizás Anna tenga razón. Tal vez me vendría mejor quedarme. Siempre podría dormir en el sofá de la trastienda de la librería.

Anna levanta un dedo.

—No te muevas. Vuelvo enseguida.

Antes de que pueda decir nada, desaparece escaleras arriba.

Me quedo de pie en el vestíbulo y miro alrededor. A mi izquierda veo el banco empotrado, y en la pared de encima, una hilera de perchas vacías. Me recuerda la primera vez que llegué a esta casa. Anna no había ido a la escuela, y cuando aparecí, cogió mi chaqueta y la colgó allí. Entonces le conté mi secreto, le mostré qué podía hacer. La llevé a un sitio cálido y lejano. Me planteo volver a hacerlo esta noche.

Oigo sus pies descalzos bajando las escaleras. Lleva un montón de ropa de cama.

—Dormirás en el sofá.

Lanzo una mirada a la puerta del dormitorio de sus padres en lo alto de la escalera.

—Ni hablar. —Me froto la frente con las puntas de los dedos y pienso en la idea—. ¿Han dicho tus padres que puedo dormir en vuestro sofá?

Anna asiente.

—Solo por esta noche. Han estado de acuerdo en que es demasiado tarde para que vuelvas a casa a oscuras. Les he dicho que llamarías a Maggie y le dirías que no te esperara hasta mañana.

—No puedo llamar a Maggie —le susurro al oído.

—Ya lo sé. Finge hacerlo.

Me indica la cocina y veo el teléfono colgado en la pared al lado del microondas. Me cubro la cara con una mano. Ojalá hubiera dicho buenas noches, hubiera salido y, ¡puf!, reaparecido en su dormitorio diez minutos más tarde, como pretendía hacer en un principio.

—Puedes cambiarte en el cuarto de baño de abajo. —Señala una puerta en la que no he reparado nunca—. Iré a acomodarte.

5

Mullo la almohada y me revuelvo entre las mantas. Por la que debe de ser la décima vez en la última hora, me incorporo, apoyo las manos sobre las rodillas y miro a través de la puerta corredera de vidrio hacia el jardín de atrás de los Greene. Según el reloj colocado sobre la repisa de la chimenea, pasa un cuarto de la medianoche.

La última vez que estuve en este sofá, Anna y yo estábamos abrazados en este mismo rincón mientras Justin y Emma se acurrucaban en el lado contrario. Veíamos una película y nos íbamos pasando un enorme cuenco de palomitas untadas con mantequilla que nos había hecho su madre.

Planto los pies en el suelo y me levanto. Cruzo la cocina, salgo al vestíbulo y me detengo al pie de la escalera. La puerta de sus padres está entreabierta. La de Anna está cerrada del todo. Estoy a punto de cerrar los ojos y transportarme a su dormitorio cuando pienso en la expresión en la cara de sus padres esta noche. Si me pillaran en la habitación de su hija, podría retroceder cinco, diez minutos, y volver a empezar. Pero subir allí arriba parece una violación de su confianza y ya estoy pisando terreno resbaladizo en esto.

No hay ningún motivo para precipitar las cosas. Dispongo de mucho tiempo para verla mañana, y pasado. Doy media vuelta, regreso al sofá y me dejo caer con la cabeza entre las manos. Al cabo de un rato vuelvo a recostarme en la almohada y cierro los ojos, tratando de vaciar mi mente. Por fin creo que voy a sumirme en el sueño cuando oigo algo parecido a una respiración.

Abro los ojos, levanto la cabeza y veo una silueta en el umbral.

—Oh, Dios mío. Lo siento —susurra Anna—. No pretendía despertarte.

—No pasa nada... No dormía. —Me incorporo un poco y le hago seña de que se acerque. Se sienta delante de mí sobre la mesita de café. Su imagen, el sonido de su voz en esta sala, me llenan de alivio—. ¿Qué estás haciendo aquí abajo? ¿Y tus padres?

—He mirado. Están durmiendo. Créeme, una vez que se han dormido, duermen como troncos.

Se aparta el pelo de la cara, lo enrosca alrededor de un dedo y se lo sujeta contra la nuca.

—Yo tampoco podía dormir. He estado acostada en la cama, mirando el mapa y pensando que, durante los últimos meses, ha habido toda esa distancia entre nosotros dos, ¿sabes? —Deja caer el pelo y se lo acomoda detrás de las orejas—. Y de repente se me ha ocurrido que esta noche, por fin, no había nada entre nosotros más que una puerta y una escalera, y parecía —parpadea deprisa— ridículo.

Asiento con la cabeza.

—Desde luego que es ridículo. —Aunque la sala está a oscuras, iluminada solo por la luz del porche en el patio de atrás, puedo ver que se sonroja—. Me alegro de que lo hayas remediado —digo.

—Sí, yo también.

—Pero aún hay más, ¿sabes?

Sus cejas bajan y se juntan.

—¿A qué te refieres con «más»? —pregunta.

Extiendo un brazo hacia ella y lo doblo de modo que las puntas de mis dedos queden a menos de un centímetro de su rodilla.

—Hay esta distancia, la longitud de un brazo entero, que si lo piensas es mucha. Viene a ser como la distancia de un baile de séptimo curso.

Se ríe en voz baja.

—Eso ni siquiera es ridículo. Es simplemente... inaceptable.

—¿Verdad? Y luego está esto —digo, pellizcando una esquina de la manta de lana con la que me ha tapado hace un rato—. ¿Qué me dices de esto?

Extiende una mano y frota la tela entre el pulgar y el índice.

—Sí, decididamente esto es un problema.

—Justo lo que yo pensaba.

Empiezo a retirar la manta, pero antes de que pueda hacerlo, Anna pasa de la mesita de café al sofá y cierra la abertura con su peso.

—¿Qué querías decirme antes?

Sus ojos oscuros se clavan en los míos y experimento un repentino escalofrío por dentro. No me esperaba este giro en la conversación, y estoy tratando de decidir cómo empezar, pero ella no me da tiempo.

—No te quedarás este año, ¿verdad?

Niego con la cabeza.

Echa los hombros hacia atrás y mira al techo.

—Lo sabía. Cada vez que he mencionado algo sobre la escuela, has apartado la mirada y has cambiado de tema. —Recorre la estancia con los ojos. Ahora no quiere mirarme—. ¿Por qué no?

—No puedo.

—¿No puedes o no quieres?

—No puedo. —Me incorporo para situarme de cara a ella—. Verás, llevo todo el verano experimentando con esto. Incluso le dije a todo el mundo que me iba a una salida de escalada de dos semanas y me marché solo. Planté una tienda donde nadie pudiera encontrarla y fui a Londres. Estuve paseando, admirando los monumentos (y echándote de menos todo el tiempo, por cierto), pero al cabo de tres días salí rebotado hasta la tienda. La jaqueca era insoportable, pero como hice la primera vez que llegué a Evanston, cerré los ojos y me traje de vuelta. Funcionó. Me quedé un día más, casi dos. Pero entonces salí rebotado hasta la tienda de nuevo. Seguí haciéndome regresar, pero en cada ocasión... —Dejo la frase en suspenso y sacudo la cabeza, recordando unas jaquecas tan debilitantes que apenas podía abrir los ojos durante casi una hora—. Los efectos secundarios empeoraban en lugar de mejorar. Al cabo de una semana, cerré los ojos y no pasó nada.

—¿Por qué pudiste quedarte la última vez?

Niego con la cabeza.

—No lo sé. Creo que es porque Brooke no estaba donde debería, ¿sabes? Como si... las cosas estuvieran fuera de lugar, y una vez rectificadas... —Anna se me queda mirando y yo la miro a ella, tratando de averiguar en qué piensa—. Los dos debemos de estar conectados, porque en cuanto ella volvió, ya no pude regresar aquí. Y ahora parece que mi capacidad para quedarme aquí también ha cambiado.

Anna no quiere mirarme y es evidente que no sabe qué decir. Se lleva las manos a la frente y se la frota enérgicamente, como si eso la ayudara a asimilar la información.

—Entonces, ¿qué? ¿Es así como será? —pregunta.

—No lo sé. Ahora mismo es así.

Me siento horrible. Al principio, la preparé para el hecho de que no podía quedarme aquí con ella. Jamás debería haberle hecho creer que podía hacerlo. Jamás debería haberme permitido creer que podía.

—Pero quiero volver. Mucho. Supongo que no puedo venir a verte demasiado a menudo o tus padres sospecharán, ¿sabes?, pero podemos elaborar una especie de calendario o algo así.

No dice nada.

—Si lo piensas, es así como siempre creímos que sería, hasta Vernazza. ¿Te acuerdas?

Me detengo a un paso de decir lo que en realidad estoy pensando: «Ya accediste a tomar parte en la relación a distancia más jodida del planeta.»

Anna se retuerce las manos mientras sopesa los pros y los contras de todo lo que acabo de exponer. Estaremos juntos, pero no todos los días como antes, y no según ninguna de nuestras condiciones. No iremos a la misma escuela ni nos relacionaremos con la misma gente y, por lo menos mientras ambos vivamos en casa con nuestros padres, pasaremos la mayor parte de nuestro tiempo a diecisiete años uno del otro. Mucha gente da la proximidad por sentada. Nosotros nos conformamos con estar en el mismo lugar al mismo tiempo.

Tiene los ojos fijos en la moqueta.

—Puedo manejar muchas cosas, ¿sabes? Puedo manejarlo todo con respecto a ti y lo que puedes hacer, pero lo que pasó la última vez... No puedo dejar que vuelva a ocurrirme. —Levanta la cabeza y me mira directamente—. Sé que no querías que pasara, y comprendo que no lo hiciste aposta, pero estabas aquí y entonces desapareciste, y cuando no regresaste, yo...

Se coge un mechón de pelo y lo enrosca alrededor del dedo. Me dispongo a hablar cuando ella abre la boca y vuelve a mirarme fijamente.

—Es eso. Cuando te fuiste, me quedé... como deshecha. —Encorva los hombros hacia delante y empieza a respirar más deprisa—. Quiero decir completamente deshecha —repite—. Yo no me desmorono, y no quiero ser alguien que se hunde y... —Inhala hondo y se abraza la cintura—. No puedo permitir que eso vuelva a pasar.

La miro, preparándome para lo que se dispone a decir. Lo que debería decir. Quiere que me vaya. No quiere que vuelva aquí otra vez.

—Tengo que pensarlo —dice.

Esas palabras no son tan malas como las que me esperaba, pero aun así me cogen por sorpresa.

—Sí. —Me cuesta trabajo mantener la voz serena—. Claro que sí.

Frunce los labios con fuerza, como si estuviera reprimiendo algo, y me doy cuenta de que trata de no llorar. Pero ojalá lo hiciera. Ojalá se quedara aquí y se desmoronara, como por lo visto hizo cuando me marché, porque a diferencia de la última vez, ahora podría estar aquí, a su lado. Podría decirle todo lo que habría dicho entonces: que no nos pasaría nada. Que toda esta situación es extraña, complicada e injusta para los dos, pero sobre todo injusta para ella, porque siempre resulta más duro ser el que se queda atrás que el que se marcha. Y le diría que la quiero, y que haré cualquier cosa por estar con ella, sea lo que sea.

—¿Cuándo te irás?

Trago saliva.

—El viernes. Le prometí a mi madre que estaría en casa para el fin de semana. Brooke regresa a la universidad el domingo. —Quiero hablarle de nuestra intención de llevar el barco a la bahía, pero desisto—. Y yo empezaré la escuela el lunes.

Me ofrece una sonrisa triste.

—Yo también.

Los dos guardamos silencio largo rato. Ella regresa a su sitio sobre la mesita de café y creo que está a punto de decirme buenas noches y dirigirse al piso de arriba, pero no se mueve. Sé que está considerando qué hacer a continuación, y seguramente debería quedarme callado y no decir nada que pueda influir en su decisión de quedarse, pero no puedo contenerme.

—Ahora estoy aquí —digo en voz baja.

Me mira a través de sus pestañas. Entonces su expresión se ablanda y una sonrisa se extiende por su rostro.

—Me alegro. —Estira un brazo, coge el borde de la manta de lana y vuelve a frotarlo entre el pulgar y el índice—. Todavía queda esto, ¿sabes?

Se me acelera el corazón y me echo a reír, encantado de seguir su ejemplo.

—¿Todavía está aquí?

Levanto el borde de la manta y Anna se mete debajo para tenderse junto a mí. Me rodea la cintura con sus brazos e introduce una pierna entre las mías.

—Mucho mejor —dice.

Desliza sus manos por mi espalda, por debajo de la camiseta, mientras me besa. En cuestión de minutos, parece que ambos hemos olvidado las complicaciones de toda esta locura que estamos haciendo. Durante el resto de la noche, no parece nada complicada.

6

Me despierta el tenue sonido de agua corriendo. Trato de levantar la cabeza de la almohada para ver mejor, pero mi movimiento es limitado por el peso de la cabeza de Anna, instalada en la depresión de mi cuello.

La beso en la mejilla.

—Anna —susurro—. Despierta.

Me aprieta el brazo con más fuerza y, sin abrir los ojos, se instala en mi pecho y exhala un suspiro feliz.

El sonido de agua cesa y es sustituido casi de inmediato por un leve ruido metálico. Trato de identificarlo cuando oigo el inconfundible —y extraordinariàmente fuerte— giro de un molinillo de café.

Anna se sobresalta y abre los ojos de golpe. Nada más verme, suelta un respingo. Levanta la cabeza y escruta la salita.

—No pasa nada. Solo nos hemos quedado dormidos.

—Mi padre está ahí dentro —susurra, mientras sus ojos alternan rápidamente entre la cocina y yo.

—Ya lo sé. No pasa nada —repito, creyendo que no me ha oído la primera vez.

Sus ojos se abren aún más si cabe.

—¿Cómo que no pasa nada? Puede encontrarnos así.

Él nunca... —Se acerca más, a dos centímetros de mi cara—. Estoy muerta.

—Vamos..., dile que solo estábamos hablando y nos hemos quedado dormidos.

Intento observar la escena desde el punto de vista de su padre. La camiseta de Anna ha vuelto al lugar que le corresponde, pero no tengo ni idea de dónde está la mía.

—Jamás lo creerá.

Empiezo a hablar, pero me tapa la boca con la mano.

—Chisssst.

El molinillo se detiene. Anna me mira con los ojos como platos. «Haz algo —articula con la boca—. Por favor.»

Tardo un par de segundos en comprender, posiblemente porque aún estoy algo atontado y ella me susurra en la penumbra.

—¿Estás segura? —articulo a mi vez.

Ella responde a mi pregunta asintiendo con la cabeza con un gesto apresurado y aterrorizado.

Localizo el reloj enseguida —Dios sabe que lo estuve mirando el tiempo suficiente la pasada noche— y consulto la hora. Pasan unos minutos de las seis y media. Deslizo las manos debajo de las mantas, buscando las suyas, y cuando las encuentro se las estrecho fuertemente.

Ya tiene los ojos cerrados.

Echo la manta al suelo de un puntapié y cierro los ojos con fuerza mientras me imagino su habitación. Cuando los abro, estamos en su cama, abrazados exactamente en la misma posición en la que estábamos en el sofá: Anna acurrucada contra mi pecho, con nuestras manos juntas y nuestras piernas entrelazadas. En realidad no quiero moverme, pero tengo que apartarme de ella para poder leer el despertador sobre la mesilla de noche. Las seis en punto.

Discurren los minutos mientras estamos acostados uno junto al otro, mudos e inmóviles. Entonces, Anna flexiona las rodillas contra el pecho y empieza a troncharse de risa en silencio.

—¿Ves por qué necesitas tenerme cerca? —susurro, todavía mirando al techo.

Se despereza y se echa un brazo sobre la frente. Ladea la cabeza y me mira.

—Hay muchos otros motivos para tenerte cerca.

Me doy la vuelta sobre ella y me pongo a horcajadas sobre sus caderas, con mi cara a escasos centímetros de la suya.

—¿Y lo harás? —La beso—. ¿Tenerme cerca?

Ella inhala abruptamente.

—Aún lo estoy pensando.

—Bien. —Vuelvo a besarla—. ¿Cómo te sientes?

Frunce la nariz.

—Algo... extraña. Pero no estoy mareada ni nada. —Me aparta el pelo de la cara, pero vuelve a caer—. ¿Y tú? ¿Cómo está tu cabeza?

—Está bien. Pero ¿sabes?, solo experimento los efectos secundarios en el viaje de vuelta y solo si cambio de husos horarios. Me vuelvo abajo. —Miro el despertador y la beso de nuevo—. A menos que me retengas aquí demasiado tiempo.

Anna consulta la hora.

—Seguramente deberías irte. Ya pasan diez minutos.

Le planto un beso en la mejilla y salto de la cama. Le dirijo un leve gesto con la mano. Ella me lo devuelve.

—Te veré abajo —digo.

Cierro los ojos y me imagino su salita.

Mis párpados se abren de golpe y me encuentro de pie junto al sofá, mirando el embrollo de mantas que hemos dejado. Veo mi camiseta en el suelo y me la pongo por la cabeza. Luego vuelvo a meterme debajo de las sábanas, donde me corresponde.

Veinte minutos después, el padre de Anna asoma la cabeza detrás de la esquina. Ve que ya estoy despierto y me saluda con la mano. Le correspondo y me pregunto si ha mirado aquí dentro la última vez y ha visto algo distinto.

Oigo el agua corriendo. Los granos de café caen en el molinillo. El chirrido empieza y se para. Espero unos minutos más antes de encaminarme hacia la cocina, donde soy recibido por sonidos de goteo y filtración y un inconfundible aroma que me hace la boca agua. El padre de Anna enrosca el cable alrededor del molinillo, lo devuelve a su sitio en el armario y me ve por el rabillo del ojo.

—Buenos días.

Levanto la barbilla hacia él.

—Buenos días, señor Greene.

Se recuesta contra la encimera.

—¿Cómo has dormido?

Se cruza de brazos y se queda mirándome. Noto que la adrenalina empieza a correrme por las venas.

Apoyo la cadera contra la encimera frente a él, confiando en mostrarme tranquilo y nada culpable. Le miro directamente.

—Muy bien —digo—. Gracias por dejarme quedar esta noche.

Me mira fijamente durante lo que parece un minuto entero. Contengo la respiración y procuro no moverme.

Por fin descruza los brazos y dice:

—Ningún problema. Me alegro de que hayamos podido ayudar.

Su tono es amistoso, y cuando se vuelve de espaldas a mí, exhalo en silencio.

Mete la mano en un armario alto y saca dos tazones.

—¿Tomas café, Bennett?

—Sí, señor —contesto.

Vuelve a meter la mano en el armario y saca otro tazón.

7

Dos tazas de café, tres vasos altos de agua, un cuenco de cereales y un par de horas más tarde, salgo del domicilio de los Greene y recorro a pie las cuatro manzanas de costumbre hasta la casa de Maggie. Mi corazón late con fuerza cuando llego al porche, y se acelera a una velocidad desconocida cuando cojo el picaporte con cabeza de león.

El sudor me gotea por la nuca y la camiseta se me adhiere a la piel. Puede que hoy el tiempo sea distinto, pero estoy tan nervioso como lo estaba cuando me hallaba en este mismo sitio el pasado marzo, doblando las esquinas de una tarjeta adelante y atrás mientras esperaba a que abriera la puerta.

Acababa de llegar de la oficina de alojamiento de alumnos de Northwestern. No tenía modo de reconocer la caligrafía, pero cuando me encontraba frente al gigantesco cartel de avisos sobresalía una tarjeta, con unas letras cuidadosamente trazadas y perfectamente inclinadas, como si las hubiera escrito alguien preocupado por su aspecto. Saqué la chincheta y giré la tarjeta para comprobar lo que ya sabía. Entonces fui directamente a la dirección.

Cuando mi abuela abrió la puerta, me presenté como un alumno de Northwestern y le pregunté si su habitación de alquiler aún estaba disponible. Puso una expresión precavida, pero asintió, y cuando le entregué el dinero suficiente para el resto del trimestre —aunque no tenía intención de quedarme tanto tiempo—, me invitó a un té y me mostró mi nueva habitación. Pero dos meses después desaparecí sin avisar, dejando atrás un armario repleto de ropa, un utilitario nuevecito y un montón de preguntas que Anna tuvo que contestar por mí como buenamente pudo.

Oigo crujir las tablas del suelo al otro lado de la puerta. Maggie espía por entre las cortinas, me lanza una mirada y vuelve a desaparecer. Todo está en silencio. No crujen las tablas mientras se aleja, pero tampoco se oye ningún cerrojo.

La puerta se abre por fin. Lleva un vestido holgado que casi llega al suelo y, como de costumbre, un pañuelo de colores vivos anudado al cuello. Levanto la vista hacia su cara, y cuando veo sus ojos me fijo en ellos. Son de un azul grisáceo y llaman la atención, pero no es esa la razón de que no pueda dejar de contemplarlos. Es porque los conozco bien. Sus ojos son exactamente del mismo color que los de mi madre. Exactamente del mismo color que los míos. No puedo evitar preguntarme si ella piensa lo mismo.

—Hola, Maggie —digo.

Por hacer algo, me paso la mochila de un hombro al otro.

—Hola.

Se queda mirándome durante un rato incómodamente largo. Pero entonces se le arruga la frente, se le encienden los ojos y parece alegrarse de verme.

—Anna me dijo que vendrías durante esta semana,

pero no sabía exactamente cuándo. —Se endereza un poco, apoyándose contra el marco de la puerta—. ¿Quieres pasar?

Accedo al vestíbulo y la sigo hacia la salita. La luz del sol entra a raudales a través de los ventanales que dan a la calle. Dejo la mochila en el suelo y me siento en el sofá.

Es imposible no hacer caso de las imágenes que me rodean. Sobre cada pared y cada superficie de la salita de Maggie veo fotos enmarcadas de mi familia. Yo de bebé en brazos de mi madre. Brooke de niña, con su larga melena oscura y el flequillo cortado bien recto sobre la frente. Mis padres el día de su boda. Estamos por todas partes, decorando la casa de mi abuela, aunque ella no aparece en una sola fotografía. Prácticamente puedo oír las palabras que decía mi madre cada vez que Brooke o yo preguntábamos por ella: «Solo os ha visto una vez.» Entonces nos mostraba una foto de nosotros tres en el zoo. Cuando le pedíamos más información, decía que ella y su madre tuvieron una pelea y que no quería hablar de ello.

Maggie me sorprende mirando las fotos y cruza la estancia para coger un marco de plata.

—Toma. Esta te gustará. Es nueva —dice mientras me lo alcanza.

Maggie acuna un bebé en un brazo, y Brooke está a su lado, cogiendo la otra mano de la abuela. Me fijo en ella. Parece feliz. Y entonces reparo en las jirafas del fondo.

—Fuimos al zoo —dice.

Escudriño la imagen y caigo en la cuenta de que es la misma foto que tenemos en casa.

Golpetea el cristal con la uña.

—Aún no había conocido al bebé. Te acuerdas de que los dos os llamáis igual, ¿verdad?

Sacude la cabeza con incredulidad, como hace siempre que piensa en ello.

Maggie se instala en su silla habitual y se inclina hacia delante, como si quisiera observarme más de cerca, y noto que me aparto de ella, hundiendo más la espalda en los cojines del sofá. Algo de esto no es normal.

—¿Fuiste a San Francisco?

Se ajusta el pañuelo alrededor de los hombros.

—De hecho fue Anna quien me animó a ir —responde, y se me encoge el estómago—. Pero quizá no fue una buena idea. Mi hija y yo tuvimos una pelea cuando estaba allí y... —Clava sus ojos en los míos y me mira con una sonrisa triste—. Digamos que no sé cuándo volveré otra vez.

Respiro hondo y trato de no mostrarme horrorizado por lo que acaba de decir. ¿El único motivo de que Brooke y yo tengamos una foto de los dos con nuestra abuela en el zoo —el único motivo de que hayamos conocido a Maggie— es que Anna le pidió que fuera a vernos?

—En fin. —Se reclina en su silla—. Me he enterado de que te fuiste de la ciudad tan deprisa por una emergencia familiar. ¿Todo va bien?

Asiento distraídamente.

—Bien. ¿Así que has vuelto aquí para ir a la escuela?

La elección de sus palabras es intencionada, y no me pasa por alto la alusión genérica a la «escuela». Anna me dijo durante el verano que Maggie se enteró de que en realidad iba a Westlake todo el tiempo.

Eludo del todo el tema de la escuela.

—Tengo que regresar a San Francisco —digo, evitando intencionadamente esta oportunidad única para confesarlo todo—. Pero tengo intención de volver. De visita.

Esto es, si Anna quiere.

Maggie no dice nada más, pero tampoco aparta la mirada de mí. Está esperando que me abra, y sé que debería contárselo todo porque Anna le prometió que lo haría cuando volviera. Repaso las fotografías de nuevo y se me revuelve el estómago. ¿Tiene idea de quién soy?

Respiro hondo y abro la boca para hablar. «Hay...», empiezo a decir, al mismo tiempo que ella dice: «Bueno...» Ambos nos interrumpimos en mitad de la frase.

—¿Ibas a decir algo? —pregunta.

—No pasa nada. Tú primero.

Espero a que hable. Que me diga que encontró mi libreta roja en su escondrijo en el piso de arriba y ató todos los cabos. Que me grite con unas preguntas tan directas, que no tenga más remedio que contárselo todo. Me saldrá de forma deslavazada y precipitada, posiblemente como una sola frase continua con muy pocas pausas en medio, pero las palabras habrán salido y ya no podré recuperarlas. Y mi abuela se convertirá en la quinta persona en el mundo que sabe quién soy y qué puedo hacer.

—Solo iba a preguntarte si necesitas un sitio donde alojarte cuando vengas de visita. Tu habitación aún está disponible. Si la quieres.

Aspiro aire, experimentando una decepción que no me esperaba.

—Sí. Claro —respondo—. Eso sería genial.

—Bien. Aún no la he alquilado. Desde luego, preferiría que se la quedara... —Se interrumpe. «Di las palabras. Di "mi nieto". Dime que sabes quién soy.» Sin embargo, concluye la frase diciendo—: alguien que ya conozco.

Se levanta y hago lo propio. Me aparto el pelo de la frente y bajo los ojos al suelo. «Díselo.»

—Maggie... —digo.

Levanta la cabeza de golpe.

—¿Sí?

—Yo...—No puedo hacerlo. No puedo decirlo. Si ya supiera algo acerca de mí, sería distinto. Pero no lo sabe. Por lo menos, no lo creo—. No debería estar aquí.

Y ahí está, esa sonrisa cálida que recuerdo tan bien.

—Y, sin embargo, has vuelto.

Extiende una mano, me coge la parte superior del brazo junto al hombro y la aprieta de un modo tranquilizador. Tal vez sea su forma de autorizarme a no decírselo. O quizá solo espero que me deje escapar.

—Iré a buscar sábanas para tu cama —anuncia—. Toda tu ropa está guardada en unas cajas que hay en el desván. Puedes devolverlo todo a su sitio.

Se dispone a abandonar la sala, y por alguna razón empiezo a hablar de logística.

—Te pagaré lo mismo, por supuesto. Aunque no estaré aquí tan a menudo.

Se marcha, pero puedo oírla claramente.

—Es tu habitación, Bennett. Ven siempre que quieras y quédate todo el tiempo que desees. —Entonces se para y se vuelve—. Deberías decorarla un poco. Colgar pósters o algo. Hazla tuya.

Tres horas más tarde, he reorganizado mi habitación en casa de Maggie de modo que tiene exactamente el mismo aspecto que cuando la dejé, una tarea que me ha dejado empapado en sudor después de bajar cajas desde un desván a 48 grados hasta un dormitorio a 40. ¿Cómo es posible que no tenga aire acondicionado?

Tal como sospechaba, mi vestuario de aquí se reduce a camisas de franela de manga larga, camisetas de conciertos y una colección de sudaderas gruesas. Hurgo dentro de mi mochila en busca de una camiseta limpia y una muda, y después salgo al pasillo.

Mientras vaciaba las cajas, Maggie debía de equipar el cuarto de baño pensando en mí. En las perchas cuelgan toallas nuevas, hay una pastilla nueva de jabón en el lavabo y sobre el estante contiguo a la bañera veo una botella de champú y acondicionador todo en uno. Abro el grifo y echo mi ropa empapada de sudor al suelo.

Después de ducharme y vestirme, vuelvo a mi habitación y me agacho delante del gigantesco armario de caoba que preside la estancia. Palpo la parte inferior buscando la cerradura, y dentro encuentro todo lo que dejé la última vez: grandes fajos de billetes de banco, todos acuñados antes de 1995, y la libreta roja que he utilizado para calcular mis viajes durante el último año. La cojo, hago chasquear la goma que la sujeta y la devuelvo al armario.

Los billetes de veinte que hay en mi cartera provienen de casa, así que los saco y los meto en la esquina opuesta del compartimento, donde no se mezclen. Luego cuento quinientos dólares en billetes seguros, los doblo dentro de mi cartera y la introduzco en el bolsillo trasero de mis vaqueros. Vuelvo a ponerlo todo tal como estaba.

Abajo encuentro a Maggie de pie delante del estrecho escritorio del vestíbulo con su bolso abierto de par en par. Saca las llaves del coche y a continuación mete un fajo de sobres. Levanta la mirada y me ve.

—¿Ya te has instalado arriba?

—Sí. Y gracias por el champú y lo demás.

Hace un gesto de desdén con la mano como si no tuviera importancia.

—Tengo visita con el médico, pero volveré en unas horas. —Sacude las llaves antes de pararse en seco—. Oh... ¿Necesitabas tu coche hoy? —Me mira confundida—. Lo he estado usando en tu ausencia.

Cuando entré en el concesionario el pasado marzo,

pagué el Jeep Grand Cherokee en efectivo y pensé en dejárselo a Maggie cuando llegara el momento de irme a casa. Es por eso que lo puse a su nombre. También es por eso que lo elegí de color azul.

—No pasa nada. Esperaba que lo hicieras.

Me dirige una mirada extraña y estoy seguro de que se dispone a empezar a hacer preguntas que no quiero contestar.

—Tengo que darme prisa. Me encontraré con Anna en la ciudad. Usa el coche tanto como quieras. Ya te avisaré si lo necesito, ¿vale?

Salgo al porche y cierro la puerta a mi espalda.

8

Anna y yo pasamos el resto de la tarde en el centro de Evanston comprando ropa. Su padre le ha dado dinero para comprarse unas zapatillas nuevas de running, así que empezamos por eso. Luego nos ponemos a buscar ropa para mí. Las bermudas a cuadros parecen estar de moda, pero ni siquiera me atrevo a probármelas. En lugar de eso, elijo unos vaqueros nuevos.

Anna escoge una camisa y me la pone encima para comprobar la talla.

—¿Qué te parece?

Ni siquiera la miro. La cojo por los hombros y la atraigo hacia mí. Ella baja la mirada y se echa a reír cuando ve la camisa que ha elegido apretujada entre nuestros pechos.

—Es perfecta —digo, y la beso justo en medio del Gap.

Una hora y cuatro tiendas más tarde, tengo un par de zapatillas Chuck Taylor nuevas y suficiente moda de mediados de los noventa para pasar los próximos meses.

Nos dirigimos a la charcutería y pedimos unos sándwiches enormes para comer en el parque. Pasamos un buen rato, hablando de todo salvo del próximo curso escolar. Le pregunto por los conciertos que quiere ver y la interrogo sobre los sitios a los que quiere que la lleve después. Ella me hace preguntas acerca de San Francisco, y le cuento que me he pasado la mayor parte del verano patinando por la ciudad, escalando un rocódromo cubierto y echándola de menos. Me doy cuenta de lo patético que parezco, pero Anna no debe de entenderlo así, porque se me acerca más y me rodea la nuca con los brazos.

Me besa. Cuando se aparta, la miro directamente a los ojos.

—¿A qué venía eso?

Se encoge de hombros.

—Te quiero.

—Bien. Yo también te quiero.

Vuelve a besarme. Después se levanta, se sacude el polvo del pantalón corto y me tiende una mano para ayudarme a levantarme.

—Es la hora de conseguirte algo de música.

Justin está ocupado atendiendo a un cliente, pero saluda con la mano cuando nos ve entrar. Anna le devuelve el saludo y luego me conduce por uno de los estrechos pasillos. Giro la cabeza mientras pasamos junto a los expositores de madera, tratando de ver mejor los CD.

Nos hallamos cerca del final de la tienda, mirando el quiosco de Hot Summer Sounds, cuando Justin se nos aproxima por detrás.

—Has vuelto. ¿Cómo marcha el mundo?

Anna se vuelve.

—El mundo no sé, pero México estuvo muy bien —responde ella, rodeándole con los brazos.

Cuando Justin la abraza, cierra los ojos. Pero debe de percatarse de que estoy allí observando, porque de repente los abre y los fija en los míos. Le sonrío mientras sus brazos caen a los costados. Da un gran paso atrás.

—Bueno, me alegro de que estés en casa —le dice a Anna.

—Yo también.

Justin levanta la barbilla hacia mí.

—¿Qué pasa? —Levanta una mano en el aire y me dispongo a chocarle el puño, pero entonces me percato de que tiene la palma abierta y se la choco—. Así que has vuelto.

La inflexión de su voz hace que sea más una pregunta que una afirmación.

—Sí. De momento.

Anna me dirige una mirada de soslayo y cambia de tema.

—¿Qué es esto? —pregunta, señalando al techo.

—Lo último de Blind Melon. —Justin mueve la cabeza con una expresión decepcionada—. No es tan bueno como el anterior. Creo que están acabados.

Cuando se vuelve de espaldas, Anna me mira interrogativamente y le respondo encogiéndome de hombros. No he oído hablar nunca de ellos, de modo que solo puedo suponer que tiene razón.

—Poneos al día, yo voy a echar un vistazo.

Me alegro de dejarles solos. Este sitio es demasiado fascinante para desperdiciar un segundo más hablando cuando podría estar mirando los expositores.

Del techo cuelgan unos carteles escritos a mano que identifican cada sección: R&B, Jazz, Rock. Deambulo por la tienda de discos, cogiendo CD y girándolos para leer la relación de temas, añadiéndolos a mi lista mental de conciertos que quiero ver. Me dirijo hacia la sección de Ska cuando veo la estantería de pósters en un rincón.

Esto resulta ser aún más entretenido. Me quedo allí un buen rato, hojeando los pósters, preguntándome quiénes son la mitad de esos músicos y riéndome en alto de la imponente colección de grupos de chicos de los noventa.

Hojeo unas cuantas imágenes más y me detengo.

—Este —oigo decir a Anna a mi espalda. Ni siquiera sabía que estaba aquí. Se coloca delante de mí y golpetea el pecho de Billy Corgan con un dedo—. Por favor, dime que conoces a estos tíos.

—Sí.

Asiento con la cabeza mientras miro a los Smashing Pumpkins y me maravillo de la ridícula cantidad de maquillaje que llevan todos alrededor de los ojos.

—¿Los has visto? —pregunta ella.

Echo una mirada alrededor para cerciorarme de que Justin no anda cerca.

—Tres veces —contesto. Apoyo la barbilla sobre el hombro de Anna y le susurro al oído—: Miami en 1997, Dublín en 2000 y Sídney en 2010.

Inclina la cabeza hacia mí. Sé por la expresión de su cara que la sorprende oírme compartir el mínimo indicio de información futura.

—Bien —dice con una sonrisa satisfecha—. Son de Chicago.

—Lo sé.

Entonces le cuento lo que Maggie ha dicho sobre decorar mi habitación y hacerla mía.

—Podría colgar este junto a la ventana. O quizás en la pared contigua al armario. —Me encojo de hombros—. Desde luego, no sirve de mucho poner pósters en las paredes si no voy a volver aquí de visita.

Anna se muerde el labio y se me queda mirando. Entonces baja una mano hacia el expositor, coge un póster enrollado y me lo pasa. Cuando lo cojo, da media vuelta y se aleja. Sonrío mientras elijo otro.

El viernes a media tarde, mi habitación en casa de Maggie está empezando a tomar forma. La foto que sacó Anna de nuestra playa en La Paz tiene un marco nuevo y está colgada sobre mi cama. El armario está atiborrado de suficiente ropa nueva para pasar lo que queda del verano hasta bien entrado el otoño, y ya disponía de bastantes cosas para mantenerme caliente este invierno. He clavado con chinchetas las postales que estaban escondidas en el cajón de arriba en la pared sobre mi escritorio, donde también he colgado un calendario de 1995, para que no pueda olvidar en qué año estoy.

Hemos colgado el póster de Weezer a la izquierda de la ventana y casi hemos terminado de colocar el de Smashing Pumpkins a la derecha.

—Un poco más abajo —indica Anna—. Aquí. Para.

—¿Está bien? —Levanto una ceja y la miro por encima del hombro. Cuando asiente, sujeto la esquina con cinta adhesiva y retrocedo unos pasos para ver el resultado—. ¿Mejor? —pregunto.

Se deja caer sobre el borde de mi cama y dobla las piernas bajo su cuerpo. Se recuesta sobre las manos y examina despacio la habitación.

—Empieza a parecerse a ti —dice.

Echo una mirada alrededor. Tiene razón: se parece más a mí, pero ese no era mi único propósito. Quería que pareciera más permanente, en parte para mí, pero también para ella.

—¿Qué harás si te digo que no quiero que sigas viniendo? —pregunta.

Me dirijo hacia ella, moviendo la cabeza.

—No lo sé... Aparecer dentro de unas semanas, supongo. Despedirme de ti y de Maggie. Subir todo esto al desván lo más despacio posible, confiando todo el tiempo en que cambies de opinión.

—¿De verdad quieres seguir volviendo aquí?

Planto las palmas de las manos sobre la cama, justo al lado de sus caderas, y me inclino sobre ella.

—Ya te lo he dicho. Seguiré viniendo hasta que te hartes de mí. —Le tiembla el labio inferior, como si tratara de no sonreír—. No lo sé. Algo me dice que aún no te has hartado de mí.

Se queda mirándome, pero permanece largo rato callada.

—No —dice por fin—. Aún no me he hartado de ti.

Rozo mis labios suavemente contra los suyos.

—Bien —susurro.

—Así pues —empieza a decir sin apartar la mirada en ningún momento—, ¿cómo funcionará esto exactamente? ¿Vendrás de visita pero no... te quedarás?

—Estaré aquí para todo lo que sea importante para ti: carreras, bailes, fiestas, lo que sea. Lo planificaremos todo hasta el último detalle. No te sorprenderás nunca. —Finge un puchero—. Bueno, no negativamente, quiero decir.

Esto le provoca un atisbo de sonrisa antes de volver a adoptar una expresión seria.

—¿Sabré cuándo te irás?

—Siempre.

—¿Y cuándo volverás otra vez?

—Siempre —repito, esta vez con más énfasis—. Lo prometo.

—¿Cómo puedes estar tan seguro de que no saldrás rebotado?

Pienso en lo que dijo la otra noche. Que se desmoronó después de mi marcha.

—Nunca me quedaré más de unos días. Dominaré la situación en todo momento. Si noto que empiezo a perder el control, te lo diré enseguida.

Se humedece los labios y me observa un momento.

Creo que se dispone a decir algo, pero en lugar de eso me pasa una mano por el brazo y la nuca.

—Vale —dice.

—¿Vale?

Asiente con la cabeza y noto una sonrisa extendiéndose por mi cara.

—Sí —dice mientras me engancha el cinturón con un dedo y le da un pequeño tirón. Me subo a la cama y me acomodo a su lado—. Pero tengo una condición.

La beso.

—Oigámosla.

—Tienes que decirle a Maggie quién eres.

Me aparto de ella. Mi primer instinto es negar con la cabeza, pero cuando veo la expresión de su cara desisto de hacerlo. Me muerdo la lengua y le dejo completar su idea:

—Podrías ir y volver sin tener que ocultar nada. Además, ¿no crees que se merece saberlo? Por otra parte, y ya me doy cuenta de que esto es egoísta del todo, la última vez que te fuiste Maggie fue la única persona con la que pude hablar de verdad. Y ahora volverás a marcharte. Y otra vez. Y cuando lo hagas, estaría bien tener una persona en mi vida con la que poder hablar de ti... alguien a quien no tenga que ocultar tu secreto.

Me meso los cabellos mientras considero su petición. Estaba muy dispuesto a contárselo a Maggie la otra noche, pero solo porque creía que ya sabía quién era yo. No creía que tuviera elección. Pero Maggie parece conforme con el modo en que están las cosas. Desde luego, yo lo estoy.

Decido andarme por las ramas.

—¿Tengo que decírselo antes de que me vaya esta noche? —pregunto.

Anna niega con la cabeza y suelto un suspiro.

—Solo... cuando quieras...

Cuando quiera. Se me agolpan en la mente todas las formas en que podría revelar a Maggie quién soy, y cada vez se me hace un nudo en el estómago. Pero entonces Anna me lo quita todo de la cabeza cuando se me acerca y me besa intensamente, con sus manos sobre mi piel y su pelo en todas partes, recordándome todos los motivos por los que estoy aquí y todas las razones por las que tengo que seguir volviendo y el hecho de que haré cualquier cosa por hacerla feliz. Cuando se aparta, sonríe y dice:

—El dieciocho cumpleaños de Emma será dentro de tres semanas y sus padres le organizarán una fiesta. Será lo más de lo más.

—En ese caso, allí estaré.

—Tengo algunas carreras de *cross* a las que podrías venir. Y la fiesta de antiguos alumnos será en octubre. Espera, tenemos que apuntarlo.

Salta de la cama y regresa con un bolígrafo y el calendario de pared. Durante los quince minutos siguientes, organizamos el resto de nuestra agenda. Fiesta de antiguos alumnos. Finales estatales de *cross*. Día de Acción de Gracias. Navidad. Planificamos vernos cada dos o tres semanas, pero ya puedo percatarme de que no bastará. Aún no sé cómo lo haré, pero ya estoy tramando maneras de sacar más tiempo para ella sin que sus padres sospechen ni exponerme al riesgo de salir rebotado.

Anna cierra el calendario y lo tira al suelo.

—¿Cuándo te marchas? —pregunta.

—Pronto —contesto mientras juego con sus rizos—. Maggie estará en casa dentro de unas horas. Debería irme antes de que vuelva, de lo contrario tendré que escenificar un complicado trayecto en taxi hasta el aeropuerto o algo así.

Extiende un brazo y me aparta el pelo de la frente.

—Quiero estar aquí cuando te vayas.

No logro concebir cómo puede eso hacer que resulte más fácil, pero parece muy resuelta.

—¿Estás segura? —pregunto.

Asiente con la cabeza y responde:

—Segurísima. De hecho, ¿te importa que me quede aquí un ratito... después? —Arruga la nariz—. ¿O resulta extraño?

Sonrío mientras me imagino a Anna y a Maggie en la cocina, tomando té.

—Quédate todo el tiempo que quieras. Apuesto que Maggie agradecerá tu compañía. Hasta puedes venir durante mi ausencia.

Pone los ojos en blanco antes de cubrirse el rostro con la mano.

—Lo hice la última vez que te fuiste. Anduve por aquí con la cara mustia durante horas. —Me mira y añade—: Hasta me puse tu chaqueta.

Entonces vuelve a ocultar el rostro. Suelta un suspiro y sacude la cabeza, como si no pudiera creerse que me esté confesando esto. Pero me agrada la idea de que se pusiera mi chaqueta. Me gusta pensar que esta habitación puede ayudarnos a sentir algún tipo de conexión entre nosotros, aun cuando estemos distanciados. Le aparto la mano de la cara y entrelazo sus dedos con los míos.

Antes de que pueda decir nada, Anna cambia de tema.

—Seguramente deberías dejarle a Maggie una nota antes de irte.

—Buena idea —admito. Me pongo de rodillas y le inmovilizo las manos sobre la cabeza. Le beso el cuello y ella se retuerce debajo de mí—. Vuelvo enseguida. No te muevas.

Abajo, en el escritorio estrecho del vestíbulo, encuentro los Post-its enseguida. Escribo una nota diciendo a Maggie que estaré aquí dentro de tres semanas y la pego en el estante junto al cesto donde siempre deja sus llaves.

Entonces me quedo mirándola. Me imagino a Anna, ocupando mi habitación después de mi marcha, sola y deseando no estarlo. Me imagino a mí mismo haciendo lo propio en una habitación distinta a tres mil kilómetros y diecisiete años de distancia. No quiero irme. Pero, por lo menos, ahora estoy aquí.

Subo corriendo las escaleras y abro la puerta.

Y ella está en el mismo sitio donde la he dejado.

AGOSTO DE 2012

9

San Francisco, California

Cierro los ojos con fuerza y levanto la frente del volante. Se me afloja el cuello y vuelvo a caer sobre el asiento, sujetándome los costados de la cabeza y tratando de reconocer dónde estoy. Se filtra algo de luz a través de las rendijas de ambos lados de la puerta del garaje y me esfuerzo por leer la hora en el reloj del salpicadero: las 18.03.

Revuelvo la caja de útiles situada en el asiento del pasajero, buscando a tientas una botella de agua. Vacío la primera de un solo trago y cojo otra. Aún tengo los párpados medio cerrados cuando destapo el Starbucks Doubleshot, y dejo que se cierren del todo mientras echo la cabeza hacia atrás y el café me baja por la garganta. Me tiembla todo el cuerpo y el sudor me gotea por la cara aun cuando estoy helado.

Transcurren veinte minutos hasta que las palpitaciones de mi corazón se convierten en una vibración sorda, y entonces introduzco la mano en la guantera para coger las llaves del coche y el móvil. La pantalla muestra dos llamadas perdidas de mamá del miércoles por la noche y cuatro mensajes de texto de Brooke durante los dos últimos días. Abro primero los mensajes y los leo por orden.

> Uf. Qué tranquilidad sin ti.
> ¿Te estás divirtiendo?

> Esta noche estoy viendo un concierto
> de Bottom of the Hill. En tiempo real.
> Como la persona normal que soy.
> Aburrido...

> Preocupada por ti.
> Contesta cuando vuelvas, ¿ok?

> Nada de chistes de «mamá» en
> respuesta al último mensaje, por favor.
> Te echo de menos.

Miro la pantalla con los ojos entrecerrados, pulso responder y tecleo mi mensaje.

> Sin chistes. Ahora vuelvo. Hasta pronto.

Todavía tengo la boca seca y me siento los miembros flojos, así que cojo otra botella de agua y me reclino en el asiento, observando el garaje. En su e-mail, el propietario había mencionado que era «algo pequeño», pero se había quedado corto. Cuando abrí la puerta por primera vez, me quedé un buen rato plantado en la entrada tratando de decidir si el Jeep cabría allí dentro.

Resultó tan difícil como parecía, pero plegué los retrovisores laterales, hice marcha atrás muy despacio y pulsé el botón del mando electrónico de la puerta del garaje, confiando en tener suerte. Quedé un tanto sorprendido cuando se cerró. Vuelvo a pulsar el botón y la puerta del garaje cobra vida, chirriando y traqueteando hasta que finalmente se inmoviliza sobre mi cabeza.

En el callejón, dejo el Jeep en marcha y me apeo. Aquí no hay gran cosa, salvo cubos de basura y útiles de jardinería oxidados. Cojo una botella de agua, me cargo la mochila al hombro y me dirijo hacia un montón de macetas viejas y abandonadas. Luego cojo un puñado de tierra, le echo un poco de agua y meto el fango en las estrías de los relucientes ganchos que cuelgan de las correas exteriores de mi mochila.

Pero resulta que mis esfuerzos de encubrimiento son innecesarios. Cuando llego a casa, hay una nota de mamá en la encimera diciendo que Brooke ha salido para una cita, papá está en una cena de trabajo y ella se ha ido al cine con unas amigas. Eso es lo que entienden por una noche en familia.

Me preparo algo de comer y me dejo caer sobre el sofá. Me paso el resto de la noche haciendo zapping, mirando el sitio vacío a mi lado y preguntándome cómo llevaremos esto Anna y yo. Ahora ella debería estar aquí. O yo tendría que estar allí. Pero no debería ser esto.

Finalmente, debo de quedarme dormido porque, cuando vuelvo a abrir los ojos, la sala está a oscuras, el televisor está apagado y me encuentro tapado con una manta. Subo a mi habitación y me dejo caer en la cama, aún vestido con la misma ropa que llevaba puesta cuando me marché de Evanston.

Las voces procedentes del televisor de la cocina suenan bajas pero audibles, y cuando doblo la esquina encuentro a papá con la cadera apoyada contra la encimera, introduciéndose cucharadas de yogur en la boca y viendo las noticias. Levanta la mirada cuando entro.

—Hola. Bienvenido a casa. ¿Cómo ha ido el viaje?

Me alegro de que haya formulado la pregunta tal como lo ha hecho para no tener que mentir cuando respondo:

—El viaje ha ido genial. Muy divertido.

Papá se quita las gafas y se las limpia con el dobladillo de la camisa. Luego se las pone y me mira por encima de la montura.

—Las noches deben de haber sido frías.

Tardo uno o dos segundos en pensar cómo contestar a eso. Ninguna de las noches en casa de Maggie ha sido ni remotamente fría.

—No, en realidad las noches han sido muy calurosas.

Demasiado calurosas, de hecho.

Papá se termina el yogur y se sirve un vaso de zumo de naranja. En cuanto empiezo a comerme los cereales hay muchos crujidos, pero las únicas voces de la estancia provienen del televisor. Me mira varias veces, como si tratara de pensar en algo para llenar el incómodo silencio. Pero entonces algo en la pantalla le llama la atención y le saca del apuro.

Coge el mando a distancia, sube el volumen y se gira de cara a la pantalla.

—Últimas noticias de esta mañana —anuncia la presentadora.

Un gráfico rojo y azul que reza TRAGEDIA EN TENDERLOIN pasa desde un lado de la pantalla y se detiene en el centro —grande e inquietante, para impresionar—

antes de encogerse y situarse en la parte inferior, donde no pueda interferir con las imágenes en vídeo de un edificio en llamas recortándose sobre el cielo de primera hora de la mañana.

Un incendio en un piso en el barrio de Tenderloin se ha cobrado la vida de dos niños a primera hora de esta mañana. Rebecca Walker, de cinco años, y su hermano, Robert, de tres, estaban durmiendo cuando se ha declarado un incendio en el dormitorio que compartían en el tercer piso de un bloque de pisos de Ellis Street. Los padres han sido evacuados al hospital por inhalación de humo. Los bomberos no han podido hacer nada por rescatar a los dos pequeños.

Tomo un buen bocado de cereales y me dirijo a la encimera para servirme una taza de café, escuchando mientras la presentadora pasa la conexión al reportero en el lugar de los hechos. Solo presto atención a medias, pero capto lo esencial. Los padres no han podido llegar hasta sus hijos, no había detector de humo y se ha puesto en marcha una investigación para esclarecer la causa. Miro la pantalla cuando el vecino de abajo describe que ha oído gritos a través del techo y ha llamado al 911. Después de otra toma dramática del inmueble en llamas, regresan al estudio, la presentadora concluye la crónica y pasa a otra sobre un accidente leve que está siendo despejado del Bay Bridge.

—Es horrible —dice papá. Estoy seguro de que se refiere a la noticia anterior acerca del incendio y no al accidente automovilístico de poca importancia—. Pobres padres. Deben de sentirse muy culpables.

Echa la cabeza hacia atrás, se termina el zumo y lleva el vaso al fregadero. No quiere mirarme, pero no tiene que hacerlo. Puedo notarlo. El espacio que nos rodea ya se está llenando de todas las cosas que está desesperado por decir ahora mismo.

Hasta hace poco, salía huyendo de cualquier estancia que contuviera a papá y noticias al mismo tiempo. Si acontecía alguna tragedia horrible y me quedaba en silencio, me lanzaba una mirada de reproche y decía algo así como: «¿Acaso no te importa nada?» Por el contrario, si hacía un comentario que expresara el más mínimo atisbo de remordimiento por la situación, él sacaba papel y bolígrafo y empezaba a trazar todos los medios por los que yo podía retroceder y evitar el accidente aéreo/choque de trenes/tiroteo/acuchillamiento/explosión/atraco/atentado terrorista, etc. Fuera como fuese, mi respuesta era siempre la misma. No es mi misión cambiar las cosas, solo porque pueda hacerlo. Y sí, claro que me importa. Continuamente. No soy cruel.

Perder a mi hermana en una década anterior acarreó sus complicaciones, pero también resultó haber algún que otro resquicio de esperanza. Conocer a Anna fue uno. Dejar de mantener esas insoportables conversaciones con mi padre fue otro.

Brooke está a punto de hacerme derramar el café cuando me echa los brazos al cuello.

—¡Estás en casa!

Después de un rápido abrazo, se acerca a papá brincando y le planta un besito en la mejilla. Se detiene de pronto y alterna la mirada entre nosotros dos.

—Oh oh —dice, agitando los dedos en el aire—. Hay tensión... —Brooke adopta enseguida su rol habitual, empleando el humor para devolver la paz a nuestra relativamente disfuncional familia. Golpea el brazo de papá con el dorso de la mano—. Bueno, ¿qué debería hacer esta vez?

Me mira y me guiña el ojo.

—Nada —contesta papá—. Nada de nada.

No se me escapa el doble sentido.

Vuelve a limpiarse las gafas, esta vez con un trapo de cocina, sin dejar de mirar por la ventana.

—Será un día espléndido. —Su voz es más alta de lo habitual y ese tono entusiasta parece forzado—. Llevemos el barco a la bahía, ¿de acuerdo? —Consulta su reloj—. Quiero salir en media hora. ¿Estaréis listos los dos?

Brooke y yo asentimos.

—Bien. Más vale que vaya a ver si vuestra madre necesita ayuda.

Tan pronto como ya no puede oírnos, me vuelvo hacia Brooke.

—Día familiar —digo con voz apagada—. Súper.

Me mira con una ceja levantada.

—Vamos. No son tan malos, ¿sabes?

—Para ti es fácil decirlo. Tú no eres una fuente inagotable de decepción para uno ni una preocupación constante para el otro.

—Tú tampoco, pero de todos modos... —Se sube a la encimera de la cocina y señala la taza de café que sujeto—. Date prisa, solo disponemos de unos minutos. Tómate el café, sírveme una taza y cuéntamelo todo.

Y lo hago. Cuchicheando, desgrano velozmente los pormenores, explicándoselo todo sobre Maggie y la razón por la que tiene una foto de nosotros tres en el zoo. Brooke abre los ojos como platos, y pide más detalles acerca de los temas por los que trato de pasar de puntillas, como la ruptura entre Emma y Justin y cómo los Greene me dejaron dormir en su sofá la primera noche. Se toma el café, pendiente de todas mis palabras, y después de relatarle punto por punto la práctica totalidad del viaje, sacudo la cabeza y le digo que Anna decidió —una vez más, y por motivos que sinceramente no llego a entender— que prefiere aguantar las rarezas de esta extraña relación que pedirme que me quede en el lugar que me corresponde. Explico a Brooke lo difícil que me ha resultado irme, y a cada palabra me siento más aliviado de contar con una persona que me entiende. Esta idea me hace recordar la petición de Anna de un confidente para ella. Ojalá no me hubiera marchado de la ciudad sin asignarle uno.

Mamá y papá entran en la cocina portando bolsas sobre los hombros y chaquetas en los brazos. Papá se dirige directamente hacia el garaje, pero mamá da un rodeo para plantarme un besito en la mejilla y decirme que se alegra de que esté en casa. Entonces me pide que lleve la nevera portátil al coche.

Cuando la cojo, Brooke se inclina hacia mí y me hinca el codo.

—Yo también me alegro de que estés en casa —dice.

Sienta muy raro mentirle a Brooke, pero aun así lo hago.

—Yo también —respondo.

10

La gente sigue pasando, pero hasta ahora nadie parece haberse percatado de que estoy solo sentado dentro del Jeep, mirando la puerta que conduce a mi taquilla. El timbre de aviso ha sonado hace treinta segundos, pero no me siento con el valor suficiente para abandonar este sitio.

Sería muy fácil cerrar los ojos ahora mismo, desaparecer de este coche y abrirlos en un rincón apartado de la Westlake Academy. Iría directamente al despacho y le diría a la señorita Dawson, en la recepción, que mi familia ha cambiado de planes, que al final regreso a la ciudad para cursar allí mi último año y, si es posible, querría un horario de clases. Entonces enfilaría el pasillo hasta dar con Anna. Comeríamos con Emma y Danielle como hacíamos siempre. Esa noche, cuando estuviéramos tumbados en el suelo de su dormitorio estudiando juntos, la sorprendería cogiéndole las manos y transportándola a un lugar tranquilo y remoto, como una playa en Bora-Bora.

Suena el último timbre. Cojo mi mochila, me la cargo al hombro y cierro de golpe la puerta del Jeep. Mientras cruzo el aparcamiento para estudiantes, me miro los vaqueros y la camiseta. Jamás pensé que echaría de menos el uniforme de Westlake.

No me cruzo con nadie mientras subo las escaleras que llevan hasta mi taquilla en la tercera planta, y cuando abro el cerrojo, el chasquido resuena en la sala desierta. Dentro no hay más que botellas de agua vacías, unos cuantos envoltorios de barritas de granola y un montón de papeles que alguien ha introducido por las rendijas durante mi ausencia. En su conjunto, representan todo lo que eché de menos la pasada primavera. Hay una papeleta de votación para el baile de gala, una hoja de inscripción para las olimpiadas de los alumnos de último año y un folleto del musical de primavera. Vuelvo a meterlos en la taquilla y cierro la puerta.

He impreso mi horario de clases esta mañana, pero apenas le he echado una ojeada antes de meterlo en el bolsillo de delante de mis vaqueros. No tengo ni el más mínimo indicio de dónde debería estar ahora mismo, así que lo saco y lo desdoblo. Primera hora: Civilizaciones del mundo, con la señora McGibney. Edificio C, el más alejado de mi taquilla, al otro lado del patio. Consulto la hora en mi móvil. Ya llego cinco minutos tarde.

Tardo otros cinco minutos en llegar a la puerta del aula, y cuando lo hago, un aula llena de caras en las que no he pensado durante meses se vuelve a mirarme. Doy unos pasos vacilantes, y la siguiente vez que miro alrededor veo a Cameron en la última fila. Levanta la mano y me saluda con un gesto con la cabeza.

—Usted debe de ser el alumno que me falta. —La señora McGibney no levanta los ojos ni deja de escribir en la pizarra mientras se dirige a mí—. ¿Es usted el señor Cooper? —pregunta, pero sigue hablando sin aguardar mi respuesta—. Estaba empezando a exponer las normas de esta clase. La primera es que espero que mis alumnos estén sentados en sus sillas cuando suene el timbre.

—Lo siento —murmuro en voz baja.

—Concedo una oportunidad, y usted ya la ha utilizado.

Aún no ha apartado la mirada de la pizarra. No tengo ni idea de cómo puede hablarme y escribir al mismo tiempo, pero estoy un tanto impresionado. Ya ha escrito las palabras «Primeras civilizaciones» y debajo ha comenzado una lista: «agricultura», «ciudades importantes», «sistemas de escritura».

—¿Va a sentarse y a acompañarnos, señor Cooper, o prefiere quedarse junto a la puerta durante el resto de mi clase?

Añade un ítem y las palabras «Estados oficiales» mientras habla.

El único asiento libre se encuentra en la primera fila, justo delante de su mesa, y puedo notar todos los ojos observándome mientras cruzo el aula arrastrando los pies y me siento. Tratando de no moverme ni demasiado deprisa, ni demasiado despacio ni con demasiado ruido, abro la cremallera de mi mochila y saco la libreta y un lápiz.

Un lápiz. Lo paso adelante y atrás entre mis dedos mientras me imagino a Anna recogiendo sus rizos en lo alto de su cabeza y empleando mi lápiz para sujetarlos.

—Hola.

La voz me rescata bruscamente de mis pensamientos y miro a la izquierda. Megan Jenks está inclinada sobre su mesa, escribiendo en su libreta y mirándome a través de un velo de cabellos rubios.

—Hola —respondo en voz baja.

Sonríe antes de volver a sus notas. Yo regreso a las mías, copiando furiosamente las palabras de la pizarra en mi libreta, como si el propio ejercicio les confiriera algún significado. McGibney hace una pregunta, pero solo la oigo a medias. No importa mucho, ya que no tengo ni idea de cómo contestarla.

Megan levanta la mano a mi lado.

—Señorita Jenks —dice McGibney, señalándola.

—La revolución neolítica.

—Sí. Bien.

McGibney vuelve a la pizarra y escribe algo debajo de la palabra «agricultura», mientras Megan me mira y me dirige otra fugaz sonrisa. Le hago un gesto con la cabeza, me centro en mi libreta y escribo «revolución neolítica». Es el primer día de clase y ya me estoy preguntando si me he perdido alguna lectura necesaria o algo así, porque no tengo ni la menor idea de qué están hablando.

El día transcurre a un ritmo penosamente lento, y voy tirando entre Estadística, Español y Física hasta que por fin es la hora de comer. Charlo con la gente que hace cola. Cuando me preguntan cómo estoy, les digo que bien. Cuando me preguntan dónde he estado, les doy una de varias respuestas: Viajando por ahí. Viendo mundo. Y que prefiero no hablar de ello.

Todo sucedió muy deprisa la pasada primavera. Cuando perdí a Brooke en 1994, mamá insistió en que me pegara a ella todo lo posible, y fue idea mía alojarme con mi abuela en Evanston 1995. No era Chicago 1994, pero se le parecía bastante. Muy a mi pesar, dejé a mamá la responsabilidad de dar con una excusa para justificar por qué no iba a la escuela de allí.

Se dejó llevar por el pánico. Al principio les dijo que estaba «fuera, resolviendo algunas cosillas». Pero cuando una semana se transformó en dos, no tuvo más remedio que ampliar su historia, y de repente yo estaba «resolviendo cosillas» en un centro de tratamiento para adolescentes conflictivos en la Costa Este. No tenían ni idea de cuándo volvería a casa. Eso dependía de los médicos.

Por lo menos no se enteraron mis amigos, que parecían creerse mi versión de los hechos: aproveché una veta latente de rebeldía y me fui a recorrer Europa con mochila.

Cojo un bocadillo y una botella grande de agua, me dirijo hacia el comedor y enseguida veo a los chicos al otro lado de la doble puerta de vidrio. Están sentados en la terraza, a la mesa larga que domina el patio.

Cuando llego, Adam se hace a un lado y dejo mi bandeja junto a la suya. Tiene la boca llena de comida, pero cuando termina de masticar y de hacerla bajar con un trago de agua, me mira como si fuera el chico nuevo o algo por el estilo.

—Eh. Casi había olvidado que habías vuelto.

Le miro como si me hubiera ofendido.

—Gracias... Yo también te he echado de menos.

Cameron se ha pasado todo el verano hablando sin parar de su nueva novia, pero como apenas le he visto fuera del parque aún no la conozco. Ahora ella me observa con una expresión curiosa, pero él está demasiado concentrado en su pasta para fijarse.

Tiendo una mano sobre la mesa.

—Hola —digo—. Creo que no nos hemos presentado. Me llamo Bennett.

Se lleva una mano al pecho y responde «Sophie» antes de extenderla en mi dirección. Cameron levanta la mirada e intenta sonreír, aunque tiene la boca llena de fideos y salsa. Hace un gesto señalándonos a los dos y luego levanta el pulgar.

Otra bandeja aterriza sobre la mesa, y Sam me da una palmada en el hombro cuando se sienta.

—Hola. ¿Cómo va el primer día?

Parece distinto. Solo han pasado unos días desde que le vi por última vez, pero lleva el pelo más corto que nunca y da la impresión de no haberse afeitado en los dos últimos días. Parece más viejo o algo así.

Me encojo de hombros y contesto:

—Bien, supongo. —Miro el campus a mi alrededor—. Solo... distinto.

Siempre me han parecido interesantes las paredes de cristal y las barandillas metálicas, pero hoy me sirven de recordatorio de que todo lo que hay en este lugar y su arquitectura moderna contrastan brutalmente con el aspecto refinado de la Westlake Academy. No puedo imaginarme qué diría Anna de estos edificios. Estoy seguro de que no sabría qué pensar de las placas solares contiguas al techo viviente que hay sobre el estudio de arte.

—¿Qué tienes después de comer? —pregunta Sam mientras muerde su hamburguesa.

Me inclino hacia atrás y hurgo en el bolsillo de delante de mis vaqueros en busca del horario. Lo desdoblo y busco la casilla de la quinta hora.

—Inglés. Con Wilson.

Sam se limpia la boca con el dorso de la mano y dice:

—Eh, yo también. Qué bueno. —Cuando pronuncia la última palabra, alguien da un respingo a nuestra espalda y ambos volvemos la cabeza—. Hola, Linds —dice Sam, antes de moverse en el banco para hacerle sitio entre nosotros.

—¿Qué te has hecho en el pelo?

Lindsey deja su comida sobre la mesa y se queda mirando con extrañeza la cabeza casi calva de Sam. Extiende un brazo como si fuera a tocarla, pero entonces retira la mano.

—Me lo he cortado.

—¿Con qué?

Sam se ríe mientras se pasa una mano adelante y atrás por la parte superior de la cabeza.

—Me encanta. Tiene un tacto genial. Vamos —dice, inclinándose hacia ella—. Tócalo.

—No. —Ella le golpea el hombro con el dorso de la mano, pero se ríe con él. Entonces le planta las manos a los lados de la cara y le besa la frente—. Te vi ayer mismo. ¿No podías haberme avisado?

Lindsey sacude la cabeza mientras se sienta.

Sam se encoge de hombros.

—Fue espontáneo.

Ella me mira fijamente. Resisto el impulso de reírme. Y de tocarme el pelo.

—¿Lo ves, Coop?, esa es la clase de cosas que ocurrían el año pasado cuando no estabas tú para mantenerle a raya. ¿Dónde te encontrabas durante la calamitosa rapadura de ayer?

Levanto las manos delante de mí, con las palmas hacia fuera.

—No era la noche en que debía vigilarle.

Lindsey pone los ojos en blanco y toma un largo trago de refresco de su pajita. Todavía sacude la cabeza cuando ataca su plato de pasta.

Sam se pasa la mano por la cabeza exhibiendo una sonrisa de oreja a oreja.

—Me gusta.

Lindsey y Sam han estado juntos desde el comienzo de nuestro penúltimo año en la escuela. Ella es bastante más alta que cualquiera de nosotros, Sam incluido, y destaca en la pista de voleibol. Siempre habíamos sido amigos con ella, pero en algún momento de nuestro segundo año empezó a comer en nuestra mesa. Ni siquiera recuerdo que nos pareciera extraño. Se sentó y basta.

Creo que tuvo un altercado con sus amigas. Una vez le pregunté al respecto, y admitió que, aparte de sus compañeras de habitación, no tenía muchas amigas íntimas.

«Me gusta saber a qué atenerme con las personas —recuerdo haberle oído decir—. Nada de hoy somos amigas y mañana... ¡puf! —Juntó los dedos y los hizo chasquear—. Los chicos sois mucho más simples. —Una larga pausa—. Por cierto, eso es un cumplido.»

«Quizá somos más complicados de lo que crees —repliqué yo con cara seria—. ¿Y si no nos caes nada bien pero no sabemos cómo decírtelo?»

Me miró a los ojos.

«¿Os caigo bien, Coop?»

No pude evitar sonreírme.

«Sí. Nos caes bien.»

Se encogió de hombros.

«¿Lo ves?»

Meses después, unos cuantos fuimos a la playa. Sam estaba junto al fuego contándonos una de sus historias nostálgicas, amenizada con animadas expresiones faciales y gestos exagerados, cuando Lindsey me puso una mano sobre el brazo y apoyó la barbilla sobre mi hombro. «Creo que me gusta», confesó, y me quedé mirándola con incredulidad. «¿Sam?», pregunté, y ella se encogió de hombros y repuso: «Mírale. Es adorable.»

Le miré. No lo encontré adorable. Pero entonces devolví la mirada a Lindsey y me di cuenta de que hablaba en serio. Sam la sorprendió observándole y le dedicó una sonrisa que la hizo sonrojarse y esconder la cara en mi hombro, y para que él no lo interpretara mal, le hice un gesto sutil entre ellos dos. Al cabo de dos semanas, eran Sam y Lindsey. Yo le di la vara sin parar por haberse sonrojado tanto aquella noche.

Enrosca la pasta alrededor de su tenedor y me mira de soslayo.

—Cuéntamelo todo. Apenas te he visto este verano. ¿Cómo ha ido? ¿Qué has hecho?

—Ha ido bien.

No se me ocurre nada interesante que contarle aparte de los conciertos a los que asistí con Brooke o mis viajes para ver a Anna en La Paz, de modo que lo dejo así y le pregunto qué ha hecho ella. Me dice que se ha pasado la mayor parte del verano yendo y viniendo de los torneos de vóley-playa en el sur de California.

Eso me recuerda que ha transcurrido mucho tiempo desde que la vi jugar por última vez.

—¿Cuándo será tu primer partido? —pregunto.

—Dentro de dos sábados —contesta—. Deberías venir. Sam estará allí. —Le da un codazo y le dedica una media sonrisa—. Será el que llevará un sombrero.

Sam hace caso omiso de su comentario y se inclina hacia delante sobre la mesa, recostando la barbilla en su mano.

—¿Qué harás hoy después de las clases? —me pregunta.

—Deberes.

Pienso en la montaña de trabajo que me han asignado durante las cuatro últimas clases y en la triste circunstancia de que aún tengo que asistir a otras tres.

—¿Eso es todo? —interviene Lindsey.

—No lo sé. Supongo que pensaba ir al rocódromo. —Miro a Sam—. ¿Quieres venir?

—Claro. Pero será tarde. Esta noche tengo clases particulares.

¿Desde cuándo da Sam clases particulares?

—¿Das clases particulares?

Se encoge de hombros.

—Debí habértelo dicho. Empecé a finales del año pasado, pero este año doy el programa de mates de sexto curso, así que son mucho más intensas. —Toma un largo trago de su refresco—. Es divertido. Deberías hacerlo.

Quedará bien en tus solicitudes de ingreso en la universidad.

Ni siquiera he pensado en las solicitudes de ingreso en la universidad.

—¿Son guais los chicos?

Sam niega con la cabeza.

—Pues no. Son un hatajo de mocosos mimados que se creen seres superiores.

Me echo a reír.

—No acaba de convencerme.

—Bromeo. Son dos chicos muy guais. Pero, en serio, se te daría bien —me dice—. Tú tienes buena mano con los niños.

—Sí —replico con sarcasmo—. Soy superpaciente. Sobre todo con los mocosos mimados que se creen seres superiores.

Le dedico una amplia sonrisa y levanto el pulgar dos veces con excesivo entusiasmo.

Cojo mi agua y me percato de repente de qué quería decir Lindsey con su pregunta de «¿Eso es todo?». La tarde de todo el mundo está repleta de deportes, asociaciones y trabajos de servicios comunitarios que causan buena impresión al personal que revisa las solicitudes de ingreso en la universidad. Ni siquiera he pensado aún en lo que haré este próximo año, y todavía menos en engrosar mi solicitud.

Suena el timbre y todo el mundo vierte los desperdicios en los cubos de basura antes de partir en direcciones distintas. Lindsey echa una última mirada a Sam con los ojos en blanco antes de empujarle la cabeza hacia mí.

—Vigílale —dice con un guiño.

Me río, pensando en lo bien que se caerían Lindsey y Anna. Los cuatro juntos lo pasaríamos en grande.

Me alegro de que Sam y yo sigamos el mismo camino,

porque ni siquiera he mirado el número del aula antes de volver a guardarme el horario en el bolsillo. Mientras recorremos los pasillos hacia nuestras taquillas, mi mente vuelve a divagar hacia Anna y empiezo a reconstruir su horario, preguntándome qué estaría haciendo en Evanston 1995. ¿Todavía estaría en clase, o corriendo en la pista de atletismo? ¿Sería el día en que le tocaba trabajar en la librería? ¿Han hablado ella, Emma y Danielle de mí durante el almuerzo? ¿Les ha dicho Anna que volveré? ¿Ha perdido los papeles Emma cuando se ha enterado?

Sam se detiene.

—¿Qué pasa?

Señala una hilera de taquillas.

—¿No necesitas tus cosas?

—¿Qué? Ah, sí...

De repente caigo en la cuenta de que estamos delante de mi taquilla.

Sam sacude la cabeza y me mira compasivamente.

—Tío, te juro que parece que hayas vuelto pero no estés aquí.

Evito su mirada mientras hago girar la esfera de la combinación.

Ni yo mismo habría podido describirlo mejor.

11

Después de una hora en el rocódromo con Sam y una precipitada cena con mis padres, subo a enfrentarme con mis deberes. Navego a la página web de la escuela y consulto las tareas de esta semana. Tengo un par de horas de lectura para Química, un trabajo que entregar dentro de dos semanas sobre el auge de la civilización del Tigris y el Éufrates, y una redacción que debería empezar a escribir para Inglés.

Me reclino con los brazos doblados detrás de mi cabeza y fijo la mirada en el techo. Hasta hace poco, nunca había dado demasiada importancia a mi dormitorio. Mamá lo había hecho decorar profesionalmente cuando nos mudamos aquí hace cuatro años, y no recuerdo haber elegido ni una sola cosa.

A diferencia de la habitación de Anna, no hay pósters en las paredes, ni mapas del mundo, ni estanterías llenas de trofeos y estuches de CD. En realidad todo es blanco. Paredes blancas. Techo blanco. Alfombra blanca. Edredón blanco. El escritorio es de vidrio y metal, pero no ayuda mucho a romper la monotonía. El único colorido de la estancia proviene del enorme cuadro sobre lienzo que mi mamá compró en una subasta de arte un par de años atrás y del cuenco de cristal rojo —lleno a rebosar de trozos de entradas de todos los conciertos en directo que he visto— que descansa sobre la mesilla de noche junto a mi cama. Dejando de lado ese cuenco, esta habitación podría pertenecer a cualquiera.

Anna solo estuvo unos minutos en mi dormitorio, pero en ese corto espacio de tiempo debió de haberlo visto como lo que es: una habitación que parece preparada para venderla en breve.

Debería empezar los deberes, pero en lugar de eso cojo mi móvil. Aquí son algo más de las nueve y una hora más tarde en Boulder. Tecleo un mensaje para Brooke:

¿Estás ahí?

Aguardo su respuesta, y finalmente el teléfono emite un pitido.

Sí. Estudiando.

¿Cómo te ha ido el primer día?

Contesto con una sola palabra:

Asqueroso.

La respuesta de Brooke no se hace esperar:

Lo siento. :(

Me quedo mirando la pantalla, pensando en qué decir. Por último escribo:

> La echo de menos.

Miro las palabras antes de pulsar enviar. Pasan unos minutos hasta que Brooke responde.

> Lo sé. Ve a hacer algo para distraerte la mente.

Por eso he ido al rocódromo, pero solo ha servido para hacerme desear estar al aire libre, en una pared de roca de verdad, y para recordarme mi primera cita con Anna.

> ¿Como qué?

Me imagino a Brooke soltando una interjección exasperada al leer mi mensaje. Me proporciona tres respuestas consecutivas:

> No sé.

> Algo divertido.

> Algo bueno.

Vuelvo a mi ordenador, donde me sorprendo pensando en matrículas universitarias y en actividades extracurriculares con todos los demás. Busco opciones de voluntariado y encuentro centenares de ellas solo en San Francisco, desde trabajos a tiempo parcial de asistencia a ancianos hasta actividades de cooperación con niños en los barrios más pobres de la ciudad.

Este sitio concreto me llama la atención, y no acierto a entender por qué. Hago clic en él, consulto los programas y veo el vídeo. Luego regreso al plano. El edificio se halla en el centro de Tenderloin, a solo una manzana de donde se declaró el incendio del pasado sábado.

No es que me haya olvidado de ello. Me ha estado rondando la cabeza durante los tres últimos días. Pero ahora que este plano ocupa toda la pantalla, ya no puedo quitármelo de la mente. Sin siquiera pensar en lo que estoy haciendo, desplazo el cursor al campo de búsqueda y tecleo las palabras «incendio de Tenderloin».

Hay una larga lista de enlaces y hago clic en el más reciente. Básicamente dice lo mismo que la crónica del telediario del pasado sábado por la mañana: un incendio declarado en un apartamento del tercer piso se cobró la vida de dos niños: una niña de cinco años y su hermanito de tres. Los vecinos llamaron al 911. Se desconoce la causa del fuego y se ha puesto en marcha una investigación.

Voy a la parte inferior de la pantalla y encuentro una actualización del caso: los investigadores aún tratan de determinar la causa. Los padres no hacen declaraciones a los medios de comunicación.

Cuando hago clic en la esquina de la ventana, el navegador se cierra y la noticia desaparece. Aparto la silla de mi escritorio y cojo el enorme libro de Inglés que me han dado hoy en clase. Me dejo caer sobre la cama y empiezo a leer. Solo me he adentrado dos párrafos en la lectura cuando mi mente comienza a divagar de nuevo.

Me levanto y regreso al escritorio. Abro el último cajón y hundo la mano en él, rebuscando entre una colección de postales que he comprado para regalársela a Anna, papeles que he guardado sin ningún motivo concreto y mapas de escalada doblados de cualquier modo y remetidos. En el fondo, palpo la libreta roja que escondí a mi regreso de Evanston el último fin de semana. La abro por una página muy manoseada cerca del final.

Los cálculos están especialmente desordenados, extendiéndose a través de toda la página y bajando por los lados. Hasta las propias marcas de lápiz tienen un aspecto frenético, pero recuerdo con toda claridad que sabía exactamente qué significaban cuando las hice.

Por entonces apenas conocía a Emma, pero pasé toda la noche en vela calculando y sopesando los riesgos de alterar un día entero para evitar un accidente y posiblemente salvarle la vida. Desde luego, había retrocedido antes —cinco minutos aquí, diez minutos allá—, cambiando cada vez acontecimientos de poca importancia y completamente insignificantes. Ni siquiera sabía si sería posible. Y aunque lo fue, decidí que no volvería a hacerlo jamás.

Pero mirar las fechas y los cálculos me recuerda cómo me sentí cuando todo terminó y vi la expresión de puro alivio en el rostro de Anna. Bajó prácticamente brincando por el camino de entrada después de ver a Emma aquella mañana de sábado —con todos sus órganos internos intactos y la piel de su cara impecable y sin arañazos—, y cuando la observé a través del parabrisas, me sentí dominado por una intensa sensación de orgullo. Yo había hecho aquello. Yo había hecho que ocurriera. Era la primera vez que creía que me había equivocado con respecto a ese talento mío. Era la primera vez que me preguntaba si acaso papá tenía razón.

Ahora paso el dedo por las páginas, pensando en la expresión de su cara cuando estábamos en la cocina el sábado anterior, viendo las noticias en la pantalla. Quiso decir algo, pero sabía que yo ya no debía viajar. Además, se lo había dicho tantas veces que seguramente sabía que no tenía sentido insistir de nuevo: yo no cambio cosas.

Me pregunto qué diría si supiera que una vez lo hice. Por Emma, había retrocedido cincuenta y dos horas. ¿Podría retroceder todavía más tiempo?

Abro una página en blanco y empiezo a garabatear cálculos nuevos. Sé que nunca podré contestar los grandes interrogantes éticos con ninguna certeza, pero al cabo de unos minutos he resuelto la matemática. Tendré que retroceder unas sesenta y cuatro horas. Dos días y medio... casi tres. Tendría que quedarme allí, como hice con Emma, y repetir esos tres días para asegurarme de que el rehacimiento persiste, que no se ha alterado nada involuntario en el proceso. Cierro la libreta de golpe, vuelvo a sepultarla en el cajón y regreso a mis deberes.

Esto es francamente una locura.

Estoy en mi habitación, cerrando la cremallera de mi mochila. Es pesada, repleta hasta los topes de botellas de agua, Doubleshots, Red Bulls; un fajo de billetes; una linterna; un detector de humo y un extintor. Miro alrededor y sacudo la cabeza. ¿Qué estoy haciendo?

Antes de pensarlo dos veces, cierro los ojos y visualizo mi destino. Cuando los abro, estoy en el callejón que he encontrado en Google Maps, solo una manzana al sur del bloque de apartamentos. Nunca he estado aquí y ya espero no tener que volver otra vez.

Calificar este barrio de friki sería quedarse muy corto. Solo son poco más de las cinco de la mañana, pero ya se ve actividad por todas partes. Unos tipos rondan delante de una bodega en la esquina, y los portales están llenos de gente sin techo acurrucada en sacos de dormir. Oigo un extraño zumbido alrededor y noto cómo me pongo en guardia mientras enfilo la calle hacia los apartamentos. Mantengo la mirada alzada y los pies en movimiento.

Me siento aliviado al dar con el inmueble y, por alguna razón, algo más seguro cuando me cuelo en el portal. Consulto la lista de la pared, leyendo los apellidos que figuran al lado de los botoncitos negros hasta que doy con Walker. Miro para cerciorarme de que nadie me observa.

Cierro los ojos y, cuando vuelvo a abrirlos, estoy al otro lado de la entrada principal. No hay luces en la planta baja y la escalera apenas es visible. Meto la mano en mi mochila en busca de la linterna, la enfoco hacia las escaleras y subo los tres tramos que conducen al 3.º C. Cierro los ojos y visualizo el otro lado de la puerta.

Dentro del piso, me escabullo por el pasillo con mi linterna. Las paredes están recubiertas de fotos escolares, y por primera vez esta noche no pongo en duda si esto dará resultado o no; solo espero que lo haga.

Doblo la esquina, paso por la salita y me dirijo hacia los dormitorios. Después de rebasar el baño me quedo paralizado, frente a dos puertas cerradas. No tengo ni idea de cuál corresponde a los niños, así que vuelvo a pensar en las imágenes de vídeo del edificio en llamas y hago una suposición bien fundamentada de que es la puerta de la derecha, la más próxima a la calle. Giro el pomo y la puerta se abre con un chirrido.

Al otro lado de la habitación, dos camas infantiles flanquean una gran ventana que da a la calle. Un fino haz de luz se filtra por entre las cortinas y proyecta un tenue resplandor sobre la sucia moqueta.

Los niños respiran suavemente, y ninguno de ellos se mueve cuando me quito la mochila y cruzo la estancia. Me pongo en cuclillas, saco el flamante detector de humo que encontré en el fondo de una caja en nuestro garaje rotulada con la leyenda MEJORA DE LA CASA y lo coloco lo más alto de la pared que puedo alcanzar. Salgo al pasillo, cojo el pequeño extintor que birlé de debajo del fregadero de nuestra cocina y lo apoyo contra el corto tabique entre ambos dormitorios.

Cierro los ojos y visualizo el lugar exacto en el que me encontraba antes de que se declarara el incendio a primera hora de la mañana del pasado sábado. Mi dormitorio.

Para cuando abro los ojos, mi otro yo ya ha desaparecido, devuelto a quién sabe dónde y cuándo, y puedo ocupar su sitio.

La última vez que estuve aquí, acababa de levantarme del sofá de la salita. Aún me dolía la cabeza y tenía la boca inquietantemente seca. Pero ahora mismo el corazón me late a un ritmo saludable, y estoy tan lleno de adrenalina que me siento a punto de estallar. No sé si lo he conseguido o no, y no lo sabré hasta que den las noticias dentro de unas horas, pero de algún modo tengo la sensación de que ha funcionado. No era eso a lo que se refería Brooke cuando ha dicho que debería hacer «algo bueno», pero estoy seguro de que yo sí.

12

La primera vez me había acostado en la cama vestido y me había sumido en un profundo sueño. Pero esta noche me resulta imposible dormir. He estado aquí sentado durante la última hora, esperando ver los primeros albores del día y pensando en lo que acababa de hacer.

De repente caigo en la cuenta. De hecho, es extraño que no se me haya ocurrido hasta ahora, y que no lo hubiera considerado cuando estaba en mi dormitorio la noche del lunes que acabo de borrar. Había estado tres días más cerca de volver con Anna. Ahora tengo que repetir esos días, como si hubiera tirado los dados y caído en la casilla que dice: «Retrocede tres casillas.» No sé si este rehacimiento dará resultado, pero una cosa es segura: puede que sea realmente lo más desinteresado que he hecho en mi vida.

La televisión es lo primero que oigo, y cuando doblo la esquina encuentro a papá justo en el mismo sitio que ocupaba la primera vez, apoyado contra la encimera mientras se come un yogur y mira las noticias.

La expresión de mi cara debe de ser distinta esta vez, porque me echa una mirada y sonríe.

—Bueno, alguien está de buen humor —dice—. ¿Has tenido buen viaje?

Se me empieza a acelerar el corazón y me obligo a ponerme serio.

Es una superstición totalmente infundada, pero aun así siento la intensa necesidad de mantener las cosas exactamente igual, por lo menos hasta que sepa si el rehacimiento ha surtido efecto. Así pues, aunque no tengo nada de hambre, me encamino hacia la despensa y salgo con la misma caja de cereales.

—El viaje ha ido genial.

—Las noches deben de haber sido frías.

Me cuesta un segundo recordar lo que dije la otra vez.

—No, en realidad las noches han sido muy calurosas.

Papá se termina el yogur y se sirve el zumo mientras yo engullo a la fuerza una cucharada de cereales. Se produce el mismo silencio incómodo. Las únicas voces en la estancia provienen del televisor. Tres. Dos. Uno.

—Últimas noticias —anuncia la presentadora.

Dejo mi tazón sobre la encimera y giro la cabeza de golpe. Hoy no sale ningún gráfico llamativo rezando TRAGEDIA EN TENDERLOIN. En lugar de eso, lo primero que veo son unas imágenes de vídeo parecidas del bloque de apartamentos ardiendo contra el fondo de un cielo nocturno.

A primera hora de la mañana se ha declarado un incendio en un piso en el barrio de Tenderloin. Los vecinos dicen que les ha despertado un detector de humo y que han ayudado a los cuatro inquilinos del apartamento a huir antes de que las llamas devoraran el edificio. Dos niños, sus padres y un vecino están siendo atendidos en el Hospital General de San Francisco por inhalación de humo. Se espera que los cinco sean dados de alta hoy mismo.

Miro a papá. Ha levantado la mirada hacia el televisor de cuando en cuando, pero esta vez no deja el recipiente del yogur ni coge el mando a distancia para subir el volumen. En la pantalla, la presentadora no da paso en ningún momento a un reportero desplazado al lugar de los hechos, porque no lo hay. En su lugar, la cámara hace una toma general del estudio y la mujer se vuelve hacia su compañera, que exhibe su expresión más preocupada.

—Un buen recordatorio para revisar las pilas de los detectores de humo.

El telediario pasa al accidente leve que está siendo despejado del Bay Bridge. Papá no repara en que le miro fijamente, incapaz de hablar, de moverme ni de respirar hondo.

«Yo he hecho eso.»

—¿Te acuerdas del apartamento en el que vivíamos cuando naciste? —pregunta papá—. Estaba situado en las afueras de la ciudad. Nos mudamos a otro edificio cuando tenías cuatro años, pero cuando eras muy pequeño tu mamá y yo vivíamos en el tercer piso de un bloque de apartamentos.

«Yo he hecho eso de verdad.»

Ahora que sé que el rehacimiento ha dado resultado, ya no siento el impulso de mantener todos los elementos de nuestra conversación exactamente igual que la primera vez. Cosa que es buena, pues estoy paralizado, mirándole mientras trato de devolver mi mandíbula al sitio que le corresponde.

—Tu madre detestaba vivir en un piso tan alto. Disponíamos de una vieja escalera de incendios y yo me sentía bastante tranquilo, pero ella siempre tuvo miedo de que se declarara un incendio y tuviéramos que usarla. Los incendios siguen provocándole un pánico atroz. ¿Has visto todos los detectores de humo que hay en esta casa?

—Se echa a reír—. Hasta me hace tener algunos de recambio en el garaje. ¿Te encuentras bien, Bennett?

«Tengo que hablar. Ahora.»

—Yo he hecho eso.

Me tiembla la voz.

—¿Qué has hecho?

—Eso —digo, señalando torpemente hacia el televisor.

Se vuelve a mirar.

—Ah, ¿sí? ¿De veras? No lo sabía. Siempre me ha parecido un poco peligroso.

El telediario ha pasado a un reportaje sobre el paseo en bicicleta de la Masa Crítica por el centro de la ciudad de este viernes.

—No, eso no —digo, y papá me mira interrogativamente.

Más vale que me apresure a hablar. Si todo discurre aproximadamente como lo hizo la última vez, dispongo de unos tres minutos más antes de que Brooke aparezca. Quiero que papá sea el primero en saber lo que ha ocurrido. Quiero decírselo mientras aún estamos solos.

Mantengo la voz baja y firme.

—Escúchame, papá. Yo he hecho eso. Lo del incendio en Tenderloin. —Vuelvo a hacer un gesto hacia el televisor, pero esta vez no me quita los ojos de encima. Me mira fijamente, pendiente de mis palabras—. Ya hemos estado aquí antes, y entonces esa noticia fue distinta. Esos niños no sobrevivieron al incendio. Murieron.

Mi corazón ya latía deprisa, pero ahora que he pronunciado la palabra «murieron» pone la quinta velocidad. Me flaquean las piernas, así que apoyo una mano sobre la encimera para mantener el equilibrio. Papá mira al televisor, después a mí y de nuevo a la pantalla.

—¿Qué? —exclama.

—Esos niños murieron. Pero yo retrocedí y cambié lo ocurrido.

Papá se queda mirándome como si le hubiera contado un chiste al que no acaba de verle la gracia.

Echo una mirada paranoica a la cocina para cerciorarme de que aún estamos solos antes de soltarlo todo.

—Bajé, como lo he hecho hace diez minutos, y cuando entré en la cocina daban una noticia sobre un incendio en Tenderloin en el que murieron dos niños. Tú no dijiste nada, pero supe que querías hacerlo. Y seguramente creíste que me traía sin cuidado, pero no era así.

Papá se baja las gafas sobre la nariz y me observa por encima de la montura.

—Más tarde fuimos a navegar, y al día siguiente acompañamos a Brooke al aeropuerto, el lunes empecé la escuela y, francamente, resultó un día de mierda y no podía dejar de pensar en aquellos niños, así que pensé... ¿por qué no intentarlo? Quería ver si podía arreglarlo. Quería ver si podía evitar que sucediera tal como fue.

Papá abre la boca para hablar, pero se detiene. Me mira durante un minuto entero, mientras su boca no deja de contraerse en expresiones nuevas. Yo espero, observándole, conteniendo la respiración y tratando de averiguar en qué piensa. Por fin, toda su cara se relaja. Le brillan los ojos. Sé que está orgulloso de mí.

—¡Eh! ¡Estás en casa! —Me sobresalto cuando Brooke me echa los brazos al cuello y susurra—: Dios, qué muermo es esto sin ti. —Retrocede dos pasos y desvía la mirada de mí a papá—. ¿Qué pasa? ¿Estás bien?

Se yergue de puntillas y le planta un beso en la mejilla.

—Sí, estoy bien.

Papá le dedica una sonrisita, pero evita mirarme.

Brooke se dirige brincando hacia el frigorífico y abre

la puerta. Se queda plantada delante del frío mientras trata de decidir qué va a comer.

Papá se muestra un tanto inestable.

—Deberíamos irnos pronto. Yo... —Se le extingue la voz mientras mira a su alrededor—. Iré a ver si vuestra madre necesita ayuda.

Brooke se sirve un tazón de cereales y se impulsa para sentarse en la encimera de la cocina.

—Muy bien, solo disponemos de unos minutos. Cuéntamelo todo.

Exactamente como la última vez, hablo en voz baja y se lo explico todo acerca de Maggie y el motivo de que tenga una foto de nosotros tres en el zoo, la ruptura de Emma y Justin y cómo los Greene me dejaron acostarme en su sofá la primera noche. Se toma su café, pendiente de todas mis palabras, y después de relatarle punto por punto la práctica totalidad del viaje bajo la cabeza y digo:

—Hay más.

Le hablo de dos niños que perdieron la vida en un incendio en Tenderloin.

Y después le cuento cómo no murieron.

13

Mi segundo día de escuela empieza de un modo muy distinto. No me quedo sentado en el coche, escuchando cómo suena el timbre a lo lejos mientras deseo poder cerrar los ojos y abrirlos en Westlake. En lugar de eso, mi coche es uno de los primeros en llegar al aparcamiento de estudiantes, y soy una de las primeras personas en entrar en el edificio.

Voy directamente a mi taquilla, arrastro el cubo de reciclaje, lo sitúo debajo de la puerta y tiro en él todos los papeles y envoltorios de granola. Vuelvo a pasar la mano por mi taquilla y echo una ojeada dentro. A excepción del adhesivo de VANS que puse en el interior de la puerta el primer año, está tan vacía como lo estaba mi taquilla en Westlake.

Cuando suena el primer timbre, ya he recorrido más de la mitad del trayecto a través del patio. Abro la puerta del aula de Civilizaciones del mundo y descubro que aún está desierta, de modo que tomo asiento en la fila más próxima a la ventana hacia la mitad del pasillo, lejos de la mesa de McGibney.

Saco mi libreta y un lápiz de la mochila y, mientras hago garabatos, la profesora entra por la puerta. Cruza el aula y deja su maletín junto a su silla.

—Puntual —dice McGibney, y levanto los ojos hacia ella.

—¿Cómo dice?

—Llega puntual —responde sin rodeos—. ¿Cómo se llama?

—Bennett Cooper.

Sostengo la mano en alto y ella asiente con la cabeza.

—Ah —dice, y prácticamente puedo ver los engranajes girando y la ridícula historia de mi madre encajando dentro de su cabeza con un clic—. Bienvenido de vuelta, señor Cooper. Tengo entendido que debe ponerse al día.

Pronuncia estas palabras sin rodeos y sin el menor indicio de la mirada compasiva que sé que recibiré hoy de los demás profesores.

—Sí —contesto—. Eso es.

—Bueno, hágame saber en qué puedo ayudarle, ¿de acuerdo?

Entra gente en el aula, buscan un asiento y se instalan. Cameron me ve, y cuando recorre el pasillo nos chocamos los puños. Elige el asiento que hay detrás de mí justo cuando llega Megan y mira a su alrededor. Me vuelvo a hablar con Cameron y no puedo decir que me sorprenda al ver que Megan ocupa la silla situada a mi izquierda.

—Hola, Bennett —dice.

—Hola —respondo. Me siento bien. Hablador. Lleno de adrenalina, como si pudiera correr un maratón y aún me quedara energía por quemar—. ¿Cómo te ha ido el verano?

—Ha ido bien. Gracias. ¿Y a ti?

—Bien —contesto.

Megan asiente, como si me incitara a continuar. Y lo haría, pero entonces suena el timbre y McGibney procede enseguida a detallar el programa del curso.

Repasa las normas de clase, poniendo especial énfasis

en la importancia de llegar a la hora y ocupar los asientos por lo menos un minuto antes de que suene el timbre. Después de mirar al aula y declarar que todo el mundo está presente, señala la pizarra con un gesto amplio y teatral.

—Bien. Vayamos al grano. Hablaremos de civilizaciones antiguas durante las próximas dos semanas.

Escribe las palabras «primeras civilizaciones» y traza una línea debajo. Luego empieza a añadir ítems. Me acuerdo de esta parte, y empiezo a predecir qué escribirá a continuación. «Ciudades importantes», adivino con precisión. Después, «sistemas de escritura»... Termina con las palabras «Estados oficiales».

Se vuelve para dirigirse a la clase.

—¿Alguien conoce el término que empleamos para designar la transición de caza y recolección a sistemas agrícolas más formales?

Levanto la mano y Megan también. McGibney le da la palabra a ella, pero me siento algo engreído porque esta vez sabía la respuesta. Aunque hiciera trampa.

Requiere más esfuerzo del que esperaba, pero durante las tres semanas siguientes «vivo en el presente», como reza la frase de las pegatinas de parachoques. Procuro no pensar en mi pasado con Anna, ni siquiera especular con qué me aportará la próxima visita que le haga. Voy a la escuela durante el día, charlo con mis padres por la noche y hago todo lo posible por ocupar mi tiempo los fines de semana. Permanezco inmovilizado en la cronología, evitando conciertos y noticias y suprimiendo todo pensamiento que surja acerca de rehacimientos.

Trato de vivir como si fuera normal. Me obligo a no pensar en Anna cada vez que me encuentro con mis amigos para tomar café, patino en el parque que da a la bahía o paso por una tienda de regalos donde venden recuerdos y postales de San Francisco. Por difícil que resulte, intento no pensar en el hecho de que ella no puede venir aquí para conocer a mi familia y mis amigos. Hago caso omiso de la realidad de que puedo llevarla a cualquier parte del mundo, pero no puedo enseñarle la ciudad que quiero más que cualquier lugar en el que haya estado. Y, por lo general, lo consigo. Pero de tarde en tarde me sorprendo dirigiéndome como un autómata hacia el garaje, donde meto el Jeep entre sus paredes malolientes y escucho música durante un rato.

SEPTIEMBRE DE 1995

14

Evanston, Illinois

Antes incluso de abrir los ojos, una brisa fría me abofetea. Espero nubes y niebla, pero cuando miro al cielo observo que está sereno y azul. Echo una ojeada desde detrás del lateral de la casa de Maggie y veo el sol reluciendo intensamente sobre su huerto de tomates.

He estado confuso respecto a cómo y dónde volver. Era distinto cuando vivía aquí, yendo y viniendo todos los días, pero ahora me resulta extraño aparecer y entrar por la puerta principal como si esta fuera mi casa, aun cuando Maggie me dio una llave y me dijo que la usara. No me hace mucha ilusión revelarle quién soy y qué puedo hacer, pero desde luego estaría bien regresar aquí sin tener que preocuparme de que mi llegada provocara un ataque al corazón a mi abuela.

No hay respuesta cuando llamo a la puerta. Al cabo de un minuto entero, entro.

—¿Maggie? —grito desde el vestíbulo.

Cruzo la casa y miro en la cocina y en la salita en busca de algún rastro de ella, pero no hay nada. Podría estar en su habitación, pero no estoy dispuesto a mirar allí, de modo que me encamino directamente hacia la mía.

Mis pósters nuevos ocupan una pared, y la fotografía que hizo Anna de nuestra playa en La Paz está colgada sobre la cama. Dejo mi mochila sobre la silla contigua a la puerta y me dirijo hacia el armario.

Mis camisetas nuevas están dobladas y apiladas sobre un estante y la camisa que Anna me ayudó a elegir cuelga delante. En el fondo del armario está apretujada toda la ropa de invierno que compré durante mi primera visita aquí. Me cuesta trabajo imaginarme que el próximo mes volveré a necesitar todos esos jerséis de lana y camisetas de manga larga.

Mi mochila está llena de cosas que necesito pero no puedo comprar aquí: más dinero en metálico, aun cuando el compartimento oculto todavía está suficientemente provisto. El carnet de conducir falso del estado de Illinois que me hizo un tipo a cambio de dinero, imitando perfectamente la fotocopia del de Maggie que le di, pero con mi foto y mi fecha de nacimiento fijada en el 6 de marzo de 1978 en vez del 6 de marzo de 1995. Abro el primer cajón para meterlo todo dentro y encuentro una nota:

Mira dentro del armario.
Te quiero,
Anna

Me tapo la boca con la mano, ocultando la sonrisa que se extiende por mi cara al ver el reproductor de CD portátil. Apoyada contra el asa hay una postal con una imagen del centro de Evanston. La cojo y le doy la vuelta:

Bienvenido de vuelta. He pensado que quizá querrías poner los CD que compraste la última vez que estuviste aquí.☺

Tengo que ayudar a Emma a proveerse. Te veré en su casa a las 19.00 h.

El reproductor de CD pesa más de lo que esperaba. Lo dejo sobre el escritorio y me siento para poder examinar los arcaicos botones y mandos, probar la doble platina y el dial de la radio y pulsar el botón marcado con las palabras «Mega Bass». Cuando aprieto uno de los botones superiores, una puertecita se abre despacio. En el interior encuentro uno de los CD que compré la última vez que estuve aquí.

Apenas pude contener una carcajada cuando Justin me puso este CD en las manos. Yo ya consideraba *The Bends* un clásico, pero por estos pagos se referían a él como el segundo álbum de un nuevo grupo llamado Radiohead. Pulso el «play» y la estancia se llena de música —un lick de guitarra continuo y percusión suave, luego voces y melodías— y cierro los ojos, asimilándola, notando una sonrisa que se extiende por mi rostro. Miro los pósters de la habitación y entiendo por qué ayudaban pero no bastaban. Música. Eso es lo que necesitaba este cuarto.

Cuando estoy vestido y listo para marcharme, me dirijo hacia la cocina en busca de algo que comer. Mientras bajo las escaleras no puedo quitarme de encima la sensación de estar siendo observado por las fotos de mi madre, ahora en orden cronológico inverso empezando por su boda, en la parte superior, y acabando por su foto de párvulos, cerca del vestíbulo al pie de la escalera.

Parece que Maggie sigue ausente. En el escritorio del recibidor hay un montón de facturas debajo de un bloc de Post-it. Me siento y escribo tres notas diciendo a Maggie que estoy aquí. Dejo una sobre la mesa de la cocina, otra sobre la mesita auxiliar donde siempre pone su té y pego la última al final de la barandilla, por si llega a la escalera sin haber visto las otras dos.

Aún disto seis o siete casas de la de los Atkins cuando oigo la música que flota por el vecindario, pero no es hasta que me encuentro delante de la casa que empiezo a comprender qué quiso decir Anna cuando describió la fiesta de cumpleaños de Emma como «lo más de lo más».

Una larga hilera de globos alternos de color fucsia y blanco flanquea la entrada, creando un camino lleno de colorido que va desde la acera hasta el acceso lateral de la enorme mansión de ladrillo de estilo Tudor. Miro alrededor y entiendo que debo entrar por allí.

Al final veo a una mujer de pelo rubio corto que lleva un vestido rosa vivo. Está de pie junto a una mesita situada bajo un arco inflable cómicamente grande.

—¡Bienvenido! —dice, sonriendo. No sé quién es hasta que pregunta—: ¿Puedo ofrecerte algo de beber? —con un acento británico tan fuerte que debe de ser la madre de Emma.

Me ofrece un vaso de limonada rosada, lo cojo y le doy las gracias educadamente.

—Todos están en el patio de atrás —anuncia.

Dirige su atención al grupo numeroso que entra detrás de mí.

—¡Bienvenidos! —la oigo decir cuando doblo la esquina y accedo al «patio».

En realidad se parece más a un pequeño parque.

Flores de color rosa vivo y morado brotan debajo de unos setos bajos, y la hierba es tan verde que siento la tentación de bajar la mano y tocarla para cerciorarme de que es de verdad. El pasaje me lleva por delante de patios más pequeños y zonas de descanso escondidas hasta que desemboca en un extenso césped. Hay un DJ apostado en el otro extremo.

Miro buscando a Anna. Justo delante del DJ veo a Alex y Courtney bailando. Él la sujeta por las caderas y la atrae hacia sí mientras ella le dedica sonrisas falsas y le empuja. Sigo escudriñando el jardín, y finalmente Danielle asoma la cabeza entre el gentío, me saluda con la mano y echa a andar hacia mí.

—Se alegrará mucho de verte —dice mientras me abraza—. Durante las últimas semanas no ha hecho otra cosa que hablar de ti.

No sé qué debería responder a eso, pero me alegro de oír que ella ha estado pensando en mí tanto como yo he estado pensando en ella.

—¿Dónde está?

Tomo un rápido sorbo de limonada y noto que se me contrae todo el rostro. Dejo mi vaso sobre una mesita junto a un rosal.

Danielle se yergue de puntillas, pero eso no le concede mucha ventaja.

—La he visto antes, pero... Ah, espera... Allí está. —Señala hacia el límite del jardín y sigo la dirección de su dedo, pero todavía no veo a Anna—. Está al lado de ese árbol grande, hablando con Justin.

Por fin la distingo. Justin está apoyado contra el árbol y Anna se encuentra de pie delante de él. Lleva una falda corta que parece mucho más del gusto de Emma, y estoy seguro de que Anna ha dejado que Emma la vistiera para la ocasión. Tiene el pelo levantado a los lados, sujetado por detrás con una horquilla, pero lleva el resto largo. Se enrosca los rizos alrededor del dedo.

Justin me ve antes que ella y le oigo decir:

—Está aquí.

Anna se vuelve, y antes de que pueda dar otro paso

me echa los brazos al cuello. Justin mira alrededor como si buscara un pretexto para irse.

—Voy a buscar bebida —dice, y entonces me revela dónde puedo encontrar la cerveza que han escondido entre los arbustos.

—Gracias.

No le digo que no bebo. Lo probé una vez, en una fiesta de mi segundo año, y fue un desastre. Después de dos cervezas, no hice más que pensar en que necesitaba echar una meada y acabé en casa dentro de mi cuarto de baño.

Anna me da otro achuchón.

—¿Has visto mi regalo?

Asiento con la cabeza.

—Gracias. Es perfecto. Justo lo que necesitaba la habitación. —Retrocedo un paso y la miro con más detenimiento—. Estás espléndida.

Anna baja la mirada hacia su atuendo y sacude la cabeza.

—Es obra de Emma, por supuesto.

La blusa tiene un escote más generoso que nada que le haya visto ponerse, pero no quiero avergonzarla, así que no digo nada.

—¿Cómo te ha ido el viaje? —pregunta, levantando las cejas en son de burla.

—Muy corto.

—¿No había bolsitas de cacahuetes a bordo?

Le paso el pulgar por la mejilla.

—No. Nada de cacahuetes.

Finge hacer pucheros.

—Qué fastidio. Me gustan los cacahuetes.

—¿Quieres dejar de hablar un momento para que pueda besarte?

Empiezo a acercarme a ella pero me aparta, mientras mira por encima de mi hombro hacia la fiesta, en plena efervescencia detrás de mí, y me coge la mano.

—Aquí no. —Me planta un fugaz beso en la mejilla—. Tengo una idea. Sígueme.

Me conduce al otro lado del césped, más allá del DJ y hacia el límite del jardín. No es precisamente que nos hayamos perdido de vista, pero esto queda algo más retirado.

Creo que por fin voy a besarla, pero entonces agacha la cabeza y me estira a través de un bosquecillo de árboles frutales. Apartamos las ramas y las hojas que nos salen al paso y, cuando podemos volver a enderezarnos, estamos al pie de una colina. Una alta verja de hierro forjado franquea la ladera, y Anna busca a tientas la abertura en la oscuridad. Encuentra el pestillo y la puerta gira hacia nosotros, chirriando.

Aquí está oscuro, pero el camino está iluminado por una hilera de luces ocultas en los helechos y las hierbas que lo bordean. Las piedrecitas crujen bajo nuestros pies mientras seguimos el camino hacia un puente de madera, y una vez que lo cruzamos veo un banco de cemento junto a una gigantesca estatua de Buda. Todavía oigo la música, pero suena amortiguada.

Anna se detiene frente al banco, se me acerca y me pone las manos en la cintura.

—Bueno... estabas hablando de cacahuetes —dice, sonriendo.

—No, decía algo acerca de besarte.

Y antes de que pueda decir nada, le planto las manos en la parte inferior de la espalda y cierro la distancia que queda entre los dos. Noto sus manos en mi nuca, sus dedos deslizándose entre mi pelo mientras me atrae hacia sí y me besa.

Cuando paramos, ella no abre los ojos ni se aparta. Puedo sentir su aliento cuando habla.

—Te he echado de menos. —Me pasa el pulgar por la

mandíbula y se me acelera el pulso—. Háblame de las últimas semanas. Quiero saberlo todo.

Todo. Respiro hondo, preparándome para soltarlo. He estado esperando tres semanas para contárselo todo a Anna. ¿Cuántas veces he mirado mi móvil, deseando poder llamarla y hablarle del incendio, y de dos niños que ahora están vivos pero no deberían estarlo, y la expresión en la cara de mi padre cuando le dije lo que había hecho? Por fin está aquí, observándome con esa mirada dulce y expectante en los ojos, y tengo la mente completamente en blanco.

Aún no estoy listo para llegar a eso, así que decido prepararme con algunos principios. Me siento a horcajadas sobre el banco, y Anna hace lo propio delante de mí. Cuando hablo, se inclina más cerca, como si mi horario de clases fuera de lo más interesante, y cuando le hablo de mis amigos y de lo extraño que resulta haber vuelto con todos ellos, se mueve hacia delante y me coge la mano. Traza con delicadeza las líneas de mi palma con la punta de un dedo mientras escucha.

Cuando he terminado, le pregunto por la vida en Westlake. Me habla de la clase de Argotta y de que tiene una nueva pareja de conversación, y de que cada vez que se vuelve a mirar mi antiguo escritorio, la hace feliz pensar que antes me senté en él, pero también la entristece que ya no lo haga. El pasado fin de semana registró el mejor tiempo en su carrera de *cross*.

Ambos permanecemos callados unos momentos y veo mi oportunidad. Respiro hondo, disponiéndome a contarle lo del incendio, pero antes de que pueda hacerlo, ella me aprieta la mano y anuncia:

—Tengo algo que decirte.

Le sonrío.

—Yo también tengo algo que decirte.

—Tú primero —concede.

—¿Sí? ¿Seguro? —pregunto, pero me alegro en secreto de no tener que esperar más tiempo.

Al principio estaba nervioso, pero ahora que hemos entrado en calor me muero de ganas de ver la expresión en su cara cuando le cuente lo que hice.

Anna asiente.

Muevo la cabeza, buscando las palabras justas para empezar mi extraña historia. Todavía cuesta de creer, y no digamos referirla en voz alta.

—Hice una verdadera locura. O una estupidez. O algo alucinante... No lo sé. Cuesta trabajo calificarlo.

Me mira interrogativamente.

—Una mañana, mi padre y yo estábamos viendo las noticias y dieron un reportaje sobre dos niños que murieron en el incendio de su apartamento. Durante los siguientes días, yo..., yo... —Empiezo a balbucear y me meso los cabellos mientras busco las palabras apropiadas—. No podía quitarme de la cabeza aquella imagen.

Llevo cuidado con lo que digo a continuación, omitiendo intencionadamente las especificidades del futuro de las que no puedo hablarle, como el artículo *on-line* y Google Maps.

—Empezó como simple curiosidad. Me senté a hacer ecuaciones y conversiones de tiempo en mi libreta, tratando de averiguar si sería posible, pero antes de que me diera cuenta ya estaba peinando la casa en busca de un extintor y un detector de humo.

—No me digas... —Se le encienden los ojos y una sonrisa se extiende por su rostro—. ¿Lo detuviste?

Niego con la cabeza.

—No lo detuve. Solo... reajusté algunas cosas.

—¿Que tú... reajustaste algunas cosas?

Le explico cómo me colé en el apartamento a oscuras.

Describo la pared con fotos escolares y detallo cómo actué con celeridad para colocar el detector de humo sin despertar a los niños.

—Retrocedí y repetí casi tres días. Hasta lo de Emma, nunca había retrocedido más de cinco o diez minutos, ¿sabes? Ni siquiera sabía que fuera posible. Pero funcionó. Cuando entré en la cocina aquella mañana, la noticia que dieron por televisión iba de un incendio que obligó a evacuar un bloque de apartamentos, no un incendio que mató a dos niños. Y cuando le dije a mi padre lo que había hecho...

Dejo mis palabras suspendidas en el aire. Bajo la mirada hacia un macizo de plantas, y Anna apoya sus manos en mis caderas.

—Tú lo cambiaste.

Asiento despacio. Y entonces no puedo evitarlo. Sonrío de oreja a oreja.

—No sé si fue correcto o no. Ahora no importa, fue cosa de una sola vez. O supongo que, contando a Emma, cosa de dos veces. Solo quería comprobar si podía volver a hacerlo.

—Y lo hiciste.

—Sí.

Anna me pone las manos en la cara y me besa. Se aparta y se queda mirándome durante lo que parece largo rato, y entiendo que está pensando en algo que decir. Finalmente recuerdo que ella también tenía algo que decirme.

—Oye, ¿has dicho que también tenías noticias? ¿Qué querías contarme?

Consulta su reloj.

—Nada. Puede esperar. —Se levanta y me tiende la mano—. Nos hemos ausentado mucho rato. Seguramente Emma habrá empezado a buscarme.

Me percato de que esta noche debería centrarse en Emma, pero aún no estoy dispuesto a volver allí y compartir a Anna con el resto de sus amigos. Ojalá supiera cuándo estaremos solos de nuevo.

Antes de que pueda decir nada, ella se encoge de hombros y dice:

—De veras. No es importante. Ya te lo contaré luego.

Deshacemos el camino y volvemos a salir de entre los árboles. Distingo a Emma enseguida, pero eso no es decir mucho. No pasa precisamente desapercibida mientras baila con un numeroso grupo de chicas con su falda corta, media camiseta ceñida y un enorme sombrero de tela con forma de tarta de cumpleaños.

Cuando Emma nos ve, se acerca brincando y me da un gran abrazo. Le deseo un feliz cumpleaños, nos coge a ambos por el brazo y nos lleva a la extensión de hierba, que se ha convertido en una pista de baile. Procuro no pensar que soy el único chico que está allí.

Llevamos bailando unos cinco minutos y creo que es más que suficiente. Me dispongo a marcharme cuando Emma me echa un brazo al hombro y me atrae hacia sí.

—Te he echado de menos, greñudo.

Me despeina y no puedo evitar sonreír. Nadie me ha llamado así en muchos meses.

—Yo también te he echado de menos, Em.

Entonces se pone de puntillas y se planta justo delante de mi cara.

—Tengo entendido que has convertido a mi dulce Anna en una gran embustera —dice, sacudiendo la cabeza.

Eso es lo último que querría hacer. La miro, verdaderamente confundido.

—¿Por qué?

Se queda mirándome como si debiera saber a qué se refiere.

—¿Esta noche? —dice con las cejas levantadas, esperando que lo asimile.

Empiezo a sentirme algo espeso, porque sigo sin saber adónde quiere llegar con esas palabras.

—No tengo ni idea de qué estás hablando.

Se aparta y examina mi expresión, y supongo que llega a la conclusión de que digo la verdad.

—¿No te lo ha contado? —pregunta, y niego con la cabeza. Me apoya una mano sobre el hombro y me susurra al oído—: Sus padres no saben que estás en la ciudad.

Cuando se retira, me quedo mirándola. Sigo sin entenderlo.

—Les ha dicho que pasará la noche aquí, en mi casa. Se ha traído una bolsa y todo.

Me guiña el ojo.

Me vuelvo a mirar a Anna por encima del hombro. Está bailando con un grupo numeroso, pero no deja de mirarnos a Emma y a mí.

—¿De veras? —digo sin apartar los ojos de Anna.

—Sí, de veras. —Emma vuelve a despeinarme—. Creo que alguien me debe una —añade en sonsonete.

Disponemos de una noche entera juntos. Nunca hemos planeado una noche entera juntos, y sé exactamente qué voy a hacer con ella. Pero, ahora mismo, tengo que abandonar esta pista de baile. Veo a Justin junto al árbol, hablando con un par de chicos a los que no conozco.

—¿Y si voy a charlar con tu ex y veo qué puedo hacer para juntaros de nuevo?

Emma suelta un bufido.

—¿Qué te hace pensar que quiero volver con él?

—El modo en que miras hacia allí todo el tiempo que llevo hablando contigo.

Las comisuras de su boca se contraen, como si tratara de reprimir una sonrisa.

Me clava un dedo en el pecho tres veces mientras escupe cada palabra:

—Solo... somos... amigos.

«Pero no deberíais serlo —quiero decir—. Deberíais estar juntos. Aún lo estaríais si yo no hubiera borrado las primeras cuatro horas de vuestra primera cita.» Me remonto al sábado al que Anna y yo retrocedimos y que cambiamos. Cómo creamos básicamente dos versiones del mismo día, una que terminó con un horrible accidente que dejó a Emma en la UCI y otra que concluyó con Anna, Emma, Justin y yo juntos en el cine. La primera acabó con Justin contándole a Anna cómo él y Emma pasaron una mañana increíble matando el rato en casa de ella, manteniendo una conversación que le dejó sorprendido e indiscutiblemente interesado en ella. La segunda desembocó en su ruptura unos meses después.

Estaría bien no sentirse tan responsable de la segunda versión, pero lo soy.

—¿Así que no quieres que hable con él? —pregunto.

Emma mira a Justin y después a mí. Aguardo su respuesta.

—Está bien —dice por fin con un profundo suspiro—. Si quieres.

Saludo a Anna con un leve ademán, encantado de poder abandonar dignamente la pista de baile, y me abro paso entre la multitud hacia Justin. Por el camino, cojo una Coca-Cola de una cubitera y la destapo.

Me presenta a sus amigos, dos chicos con los que trabaja en la emisora de radio, y pasamos los diez minutos siguientes hablando de música. Finalmente se marchan en busca de la cerveza escondida y me quedo a solas con Justin.

—Bueno —digo. Tomo un sorbo de mi refresco—. ¿Puedo hacerte una pregunta?

Justin asiente.

—¿Qué ha ocurrido contigo y con Emma durante el verano?

Mira hacia ella. Emma y Anna están mezcladas en el barullo de gente que salta de un lado a otro porque la canción les dice que lo hagan.

—No lo sé —contesta sin apartar la vista de la pista de baile. Se queda mirando su vaso de plástico rojo, como si pudiera encontrar la respuesta que anda buscando en el fondo—. Al principio creí que hacíamos buena pareja, ¿sabes? Pero al cabo de un tiempo parecía que los dos nos esforzábamos demasiado o algo así. O... quizá lo hacía yo.

Ambos volvemos a mirar hacia la pista de baile. La canción termina y vemos salir a Emma, rodeando a Danielle con un brazo y con el otro sobre los hombros de Anna. Se las lleva de la pista de baile hacia el gran cubo de bebidas que hay en un rincón. Coge tres refrescos, los reparte y destapa el suyo.

—No me interpretes mal —advierte Justin—. Es divertida y guapísima, y sé que todo el mundo me toma por loco por haber roto con ella. Pero, sinceramente, no creo que me haya acostumbrado nunca a la idea de estar los dos juntos.

—Tal vez no le diste la oportunidad.

Se echa a reír.

—Ahora te pareces a Anna.

Aparta los ojos cuando pronuncia su nombre, y hay algo en su expresión que no acierto a identificar.

Pienso en las muchas veces que he estado en San Francisco recordando los meses que pasé en esta ciudad, y echando de menos no solo a Anna, sino también a Justin y a Emma.

—Ya sé que habéis roto, pero ¿sería pedir demasiado

que saliéramos los cuatro este fin de semana durante mi estancia aquí?

—Claro. Todavía nos vemos. Somos buenos amigos.

—¿Y nada más? —pregunto.

Cuando miro a Anna, veo que las tres se dirigen hacia nosotros.

Justin también las ve, y cuando lo hace, baja la vista hacia la hierba, repentinamente vergonzoso.

—Sí, nada más. Pero me cae bien. Muy bien —precisa—. Siempre me ha gustado.

Observo cómo su mirada se desplaza hacia ellas, y por un segundo me pregunto si aún se refiere a Emma.

La madre de Emma se acerca furtivamente a Anna y le pregunta si puede entrar y ayudarla con la tarta, y por fin atisbo mi oportunidad de escapar de la fiesta. Siguiendo el recorrido que Anna me ha enseñado antes, me escabullo por delante de la mesa de la comida y me encamino hacia el límite del jardín, paso bajo los frutales, franqueo la verja de hierro forjado y me adentro en el jardín de atrás.

Sigo el tortuoso camino que conduce al banco de cemento situado al pie y me dirijo hacia el pequeño cobertizo que he visto antes. Está orientado hacia el rincón y, si bien es más estrecho de lo que esperaba, me sirve de sobra. Cierro los ojos. Cuando los abro, estoy de vuelta en mi habitación en casa de Maggie.

Actúo con rapidez. Mi mochila roja está apoyada contra el escritorio, y la lleno con un par de camisetas, un jersey y un grueso fajo de billetes que he sacado del armario. Me cercioro de que mi carnet de identidad de Illinois está dentro de mi cartera, y le añado algunos billetes más por si acaso. Encuentro la caja de cartón que metí en el fondo del armario y saco las demás cosas que Anna y yo necesitamos: cuatro botellas de agua de plástico, dos botellines de Starbucks Frappuccino y un paquete de galletas saladas sin abrir.

En el cuarto de baño, compruebo que Maggie ha llenado los cajones pensando en mí. Hay un tubo de dentífrico nuevo, aún dentro de su caja. Tres cepillos de dientes en bolsas de plástico cerradas. Un paquete de seis maquinillas de afeitar desechables.

Bajo y llamo a Maggie varias veces, pero no hay respuesta, así que me dirijo hacia el escritorio, garabateo rápidamente notas nuevas y sustituyo las que he dejado anteriormente. Me encuentro en el recibidor, a punto de regresar a la fiesta, cuando se me ocurre una idea. Es muy arriesgada, pero supongo que a estas horas todo el mundo estará ocupado cantando «Cumpleaños feliz», de modo que cierro los ojos y los abro en un rincón tranquilo del dormitorio de Emma. Enseguida veo la bolsa de Anna en el suelo junto a la cama. Queda mucho espacio en mi mochila, así que introduzco en ella la bolsa.

Cierro los ojos de nuevo y me imagino el rinconcito situado detrás del cobertizo del jardín de atrás de Emma. Cuando los abro, estoy allí. Dejo caer la mochila, me asomo por detrás de la esquina y vuelvo a colarme en la fiesta.

—¿Tarta? —pregunta Anna cuando regreso a su lado.

Todavía me noto la cara encendida y las manos me tiemblan con nerviosa energía cuando cojo el plato que me ofrece, pero ella no parece darse cuenta. Ve un grupo de sus amigas de *cross* y me lleva hacia ellas, diciendo que quiere que las conozca mejor.

Cuando comienza a bajar la temperatura y el arco hinchable ha empezado a combarse, el DJ anuncia su última canción. Veo a Emma abandonar el césped, localizo a Justin y le arrastro a la improvisada pista de baile con ella. Él dice algo y ella echa la cabeza hacia atrás para reírse. Se yergue de puntillas, le besa en la mejilla y le pone su sombrero de tarta de cumpleaños en la cabeza. Justin trata de devolvérselo, pero Emma sigue calándoselo sobre los ojos.

Doy un codazo a Anna y señalo discretamente a los dos.

—Eso es interesante.

Anna sigue la dirección de mis ojos y luego me mira con una amplia sonrisa.

—Sí que lo es.

Ahora Justin baila. Pero baila de verdad. Salta de un lado a otro agarrando a Emma por la cintura, y ella sonríe como si este fuera el mejor cumpleaños que ha tenido nunca.

Cuando miro a Anna, todavía está observando a sus dos mejores amigos, y me pregunto si estará pensando en lo que hicimos aquel día. Me pregunto si los mira igual que yo, sabiendo que deberían estar juntos y sintiéndose responsable del hecho de que no lo estén. Pero, de repente, Emma y Justin desaparecen de mis pensamientos, y ahora la miro a ella y lo único en lo que puedo pensar es en la mochila escondida detrás del cobertizo al pie de la colina. Sin querer, dejo escapar una carcajada entre dientes.

Eso le llama la atención.

—¿Qué pasa? —pregunta.

Hay un tono cantarín en su voz, como si quisiera saberlo pero al mismo tiempo le diera cierto miedo.

—Tenías que decirme algo —le recuerdo, reprimiendo una sonrisa.

Anna frunce los labios e inhala bruscamente.

—Sí, es cierto. Yo...

Se dispone a concluir su frase, pero la interrumpo.

Le aparto el pelo de la cara y le planto un beso en la frente.

—Ve a despedirte de Emma y reúnete conmigo en el jardín dentro de diez minutos... donde hemos estado antes. Procura que no te vea nadie.

Anna parece desconcertada al principio, pero mientras me observa, su boca se contrae por las comisuras y asiente sin hacer preguntas. Me vuelvo y me alejo de ella, y por tercera vez esta noche sigo el camino hasta llegar a la hondonada del jardín. Saco mi mochila de detrás del cobertizo.

Paseo por el lugar. Me siento en el banco y me levanto de nuevo. Examino la estatua de Buda. Por fin veo la cara de Anna asomando por detrás de los árboles. El pestillo de la verja de hierro emite un chasquido y la oigo abrirse y cerrarse.

Sus pies crujen sobre la grava mientras baja por el camino, y se detiene cuando me encuentra en las sombras, apoyado contra el cobertizo.

—¿Por qué estamos aquí? —pregunta.

Y, sin mediar palabra, doy un paso adelante, enrosco los dedos alrededor de su nuca y la beso. Puedo sentirla sonreír mientras se desprende de todas sus preguntas, separa los labios y me devuelve el beso. Sabe a tarta.

Sus manos se posan sobre mis caderas y, mientras me besa con más intensidad, sus dedos se cuelan por debajo de mi camiseta y me trepan por la espalda. Empiezo a preguntarme si lograremos salir de aquí cuando ella susurra:

—¿Por qué llevas tu mochila?

La beso otra vez.

—Dame tus manos.

Respira entrecortadamente.

—¿Por qué? —pregunta.

Pero no vacila ni un segundo. Ya puedo notar sus dedos bajando hacia mi cintura, buscando mis brazos, siguiendo la curva del codo hasta que encuentran su destino en mis manos.

Las suyas tiemblan de impaciencia, de nerviosismo o una combinación de ambas cosas, y se las tomo, sin dejar que nuestros labios se separen en ningún momento. Lo único en lo que puedo pensar ahora es que estoy muy agradecido a ese disparatado don que poseo; que puedo llevármela conmigo, solo un ratito, desapareciendo del todo en un lugar lejano en el que no haya gente ni voces de fondo y nadie nos resulte ni remotamente familiar a ninguno de los dos.

Sus ojos ya están cerrados. Le pongo las manos detrás de mi espalda, con nuestros dedos aún entrelazados, aún conectándonos, y mantengo su cuerpo pegado al mío mientras imagino nuestro destino.

Cierro los ojos.

Y desaparecemos.

15

Abro los ojos en una zona apartada que descubrí hace unos años cuando Brooke y yo vinimos aquí para asistir a un concierto de U2 en el 97. Anna todavía tiene las manos entrelazadas detrás de mi espalda y sonríe, con los párpados bien cerrados, esperando a que hable.

—Ya estamos —digo—. Abre los ojos.

Tan pronto como pronuncio estas palabras, mi corazón empieza a latir con fuerza.

Echo una mirada alrededor, pero todavía no hay mucho que ver. Hasta que salgamos de detrás de este matorral, podríamos estar en cualquier sitio. Sigo la dirección de los ojos de Anna mientras se fija en las vallas de tela metálica y las ventanas traseras de una hilera de casas parecidas. Pasa la punta de su zapato por la grava bajo nuestros pies, como si tratara de atar todos los cabos. Apenas hay luz, pero puedo distinguir la expresión desconcertada en su rostro mientras se vuelve despacio. Y entonces levanta la vista, más allá de los matorrales, y ve la torre, con sus vigas de hierro iluminadas por tantas luces que parece hecha de oro. Se tapa la boca con la mano y se ríe.

—No es posible...

—Ya te lo dije. Ahora tenías que ver París.

Retrocede unos pasos, se detiene al chocar contra mi pecho y, sin volverse, busca mis manos a tientas y las pone alrededor de su cintura. Tuerce el cuello para poder verme y, aunque ya no estamos en el jardín de Emma, reanudamos lo que estábamos haciendo dos minutos antes.

Saltamos la cerca baja que conduce al parque. En cuanto salimos a campo abierto podemos ver la Torre Eiffel entera, desde la base hasta la cúspide, resplandeciendo delante de nosotros. Son solo las nueve y, curiosamente, no hay mucha gente aquí. Anna y yo nos encaminamos hacia la base con los dedos entrelazados. Ella no deja de mirarme, de sonreír ni de mover la cabeza.

De repente me suelta la mano.

—Te echo una carrera —dice, y sale corriendo.

Su velocidad le permite tomarme mucha ventaja al principio, pero tiene que ajustarse la falda y eso la frena. La rebaso justo antes de doblar la esquina que conduce debajo de la estructura, y es allí donde encontramos a todo el mundo. Hay mucha gente y las colas son largas.

—Vamos —digo mientras me encamino hacia el final de la cola más corta.

Pero Anna me sujeta por el brazo. Echa la cabeza hacia atrás y mira hacia arriba. Luego me mira a mí.

—¿Hacemos cola?

—Sí.

—Ah. —Vuelve a mirar la cima de la torre y a mí—. ¿Por qué?

Le pongo las manos sobre los hombros y le doy un fugaz beso.

—Sin trampas.

En el espacio de tiempo que ha durado esta discusión,

por lo menos diez personas se han puesto en la cola. Me sitúo al final.

—¿Por qué es... ya sabes, eso —hace un gesto extraño con la mano— hacer trampa?

—Porque lo es. Es como escalar rocas. No puedes encontrarte por arte de magia en la cima de una montaña, contemplando una vista alucinante. Tienes que ganártelo. Sin trampas. —Anna frunce los labios, como si se esforzara por no sonreír—. Además, ahí arriba no hay muchos sitios discretos. —Me lanza una mirada confusa y me la acerco más para que no me oigan—. No hay ningún sitio al que llegar sin ser visto por un grupo de gente.

—Ah.

—Cosa que algunos podrían considerar espeluznante, ¿sabes?

—Sí, supongo que sí. —Asiente y trata de poner una expresión seria, pero puedo ver esa sonrisa tratando de asomarse—. ¿Así que cogeremos el ascensor?

Es una pregunta, pero parece más bien una aseveración.

—No. Eso también es hacer trampa. —Empieza a decir algo, pero levanto un dedo y añado—: Espera un segundo.

Todavía no he cambiado mis dólares americanos por francos franceses, así que he estado observando discretamente a la gente que hace cola en busca del blanco perfecto y acabo de dar con él: un tipo mayor, con vaqueros y zapatillas de tenis, riñonera y una bandera americana prendida con un alfiler al cinturón.

Cuando la cola serpentea, le muestro tres billetes de veinte dólares y le pregunto si puede comprarnos dos tickets para el segundo piso por las escaleras a cambio de ellos. El hombre consulta los precios en el cartel, calcula el beneficio y me coge el dinero alegremente.

—¿Por las escaleras? —pregunta Anna.

Me limito a sonreír.

—¿Cuántas hay?

—No lo sé. Muchas. Podemos contarlas si quieres. —Me abofetea con el dorso de la mano—. Confía en mí, te gustará. Podemos parar y contemplar la vista mientras subimos.

El tipo de la riñonera me da los dos tickets y nos dirigimos hacia la entrada.

Resulta que hay seiscientos setenta escalones, y ni siquiera tenemos que contarlos porque cada décimo está oportunamente pintado con un número. Cuanto más subimos, más a menudo se detiene Anna, diciendo que debe tomar aire. Pero me fijo en que se niega a mirar alrededor, y cada vez que señalo los monumentos, se limita a asentir y sigue subiendo. Parece aliviada cuando llegamos por fin a la segunda plataforma.

Abajo, en el suelo, ya hacía mucho más frío aquí en París que en Evanston, pero en lo alto de la torre parece que sea pleno invierno. Anna trata de aparentar que no tiene frío, pero la veo tiritar mientras estamos aquí de pie, apoyados sobre la barandilla contemplando la ciudad. Me acuerdo de pronto de que he traído mi jersey, así que lo saco de la mochila y se lo paso. Se lo pone por la cabeza. Le llega casi hasta el borde de la falda, las mangas le cubren los dedos y está absolutamente adorable.

Alguien me toca en el hombro y, al volverme, me encuentro con una mujer que sonríe de oreja a oreja y tiende una cámara en mi dirección. Dice algo en un idioma que no es inglés ni francés mientras se señala a sí misma y al hombre de pie a su derecha. Le cojo la cámara y se la paso a Anna.

—Tú eres la fotógrafa —digo.

Anna parece agradecida mientras se coloca la cámara

delante del rostro. Toma varias fotos antes de devolvérsela.

—Espero que salga alguna de esas fotos —dice Anna cuando ya no pueden oírnos—. Seguramente no volverán a pasar otra noche en la Torre Eiffel.

Estoy a punto de decirle que seguramente mirarán las fotos ahora mismo cuando recuerdo que las cámaras todavía no funcionan así. Entonces me doy cuenta de que Anna está observando la vista sin hablar. Ojalá se me hubiera ocurrido pasar por su casa a recogerle la cámara.

—Quédate aquí —digo.

Y sin darle tiempo a responder, me encamino hacia el ascensor, paso junto a la gente que hace cola y entro en la atestada tienda de regalos. Encuentro lo que busco justo detrás del mostrador. Convenzo a la cajera de que acepte un billete de veinte dólares a cambio de un artículo de diez francos, y en menos de diez minutos regreso con Anna con una bolsa de plástico oscilando a mi lado.

Pero cuando llego al sitio donde la he dejado, ha desaparecido. Recorro todo el perímetro, pero no la encuentro en ninguna parte. Me dirijo hacia el centro de la plataforma y la veo allí, paseándose de un lado a otro delante de los ascensores.

—Eh. —Me acerco a ella por detrás y la cojo por la cintura. Pega un brinco—. ¿Estás bien?

Ella se vuelve, con los brazos cruzados y los ojos entrecerrados.

—¿Me has dejado en la Torre Eiffel?

—Solo un momento —respondo.

Abre los ojos como platos. Es evidente que no debería parecerme divertido, pero no puedo evitarlo. Ahí está, menuda, cabreada y adorable con mi jersey puesto.

—¿Te ríes de mí? —Abre todavía más los ojos y pienso que va a empezar a gritarme o algo así, pero en lugar de eso da un paso adelante y me toma la cara entre sus manos—. ¿Y si te hubiera ocurrido algo? ¿Y si hubieras salido rebotado? —Sacude la cabeza—. Ni siquiera sabes en qué fecha estamos —prácticamente susurra.

Sigue pareciéndome divertido, aunque está claro que no debería ser así.

—Lo siento. No pretendía asustarte. —La beso y me siento aliviado cuando me deja hacerlo—. No saldré rebotado. Además, sabes que nunca te saco de tu tiempo. Nunca. Siempre estás a una llamada incómoda y un trayecto en avión escandalosamente caro de tus padres, pero nada más. ¿Vale?

Frunce los labios y asiente.

—Solo quería comprarte esto.

Le entrego la bolsa de plástico de la tienda de regalos y mira dentro. Toda su expresión se relaja a la vez que una sonrisa se extiende por su rostro.

—¿Has comprado una cámara de usar y tirar?

Me encojo de hombros.

—Parecías algo triste cuando hablabas de la foto de esa pareja. —La conduzco hacia la barandilla—. Sonríe —digo, sujetando la cámara delante de los dos.

Aprieto el botón y el obturador emite un chasquido, pero cuando vuelvo a pulsar no ocurre nada. La giro en mis manos, examinándola desde todos los ángulos y tratando de averiguar qué debo hacer a continuación, cuando Anna me la coge y suelta una risita mientras pasa el pulgar por una ruedecita que debe de arrastrar la película. Extiende el brazo y aprieta el botón.

Después de tomar cuatro o cinco instantáneas, se detiene a mirar la cámara. Sé por el modo en que la observa, pasando un dedo por sus bordes, que esta cajita de cartón contiene mucho más que unas cuantas imágenes de nosotros dos en una película sin revelar. No es un recuerdo ni una postal, es más de lo que ha tenido nunca: una prueba tangible de que existimos juntos, fuera tanto de su mundo como del mío.

—¿Bennett? —dice, sin apartar los ojos de la cámara.

—¿Sí?

—¿Volveremos a casa esta noche?

Cuando sus ojos encuentran los míos, niego con la cabeza.

Levanta la mirada hacia las vigas de hierro intensamente iluminadas sobre nosotros y una sonrisa se extiende por su cara.

—Nunca creí que estaría en la Torre Eiffel y diría esto, pero... ¿podemos salir de aquí?

16

Las nubes filtran el sol de la mañana, pero aún es lo bastante intenso para despertarme. Me froto los ojos y observo la desconocida habitación, recordando poco a poco dónde me encuentro en este momento. En París. Con Anna.

Está sentada en el alféizar, con las piernas desnudas dobladas y visibles bajo el dobladillo de una de mis camisetas. Tiene la barbilla apoyada sobre las rodillas y está contemplando la ciudad que se extiende debajo de la ventana.

Retiro las sábanas con los pies y cruzo la estancia.

—¿Qué haces aquí?

Le aparto el pelo hacia un lado y la beso en la nuca.

—No podía dormir. —Guarda silencio unos segundos y luego añade—: Tengo que recordarme a mí misma que está ocurriendo todo esto. Que estoy aquí de verdad.

—Entonces deberíamos irnos. Disponemos de un día entero en París y aun así no podremos verlo todo.

Anna gira la cabeza y me dedica su sonrisa más radiante. Luego se endereza y se vuelve, me rodea la cintura con sus piernas y el cuello con sus brazos.

—No me refería a París. Me refería a aquí, contigo.

Nos servimos sendos cafés en el comedor de abajo y concebimos una estrategia. Decidimos saltarnos los lugares obvios, los museos, catedrales y monumentos, pero estamos de acuerdo en que no podemos perdernos el Sena, así que pedimos *pain au chocolat* para llevar y nos dirigimos hacia el río. Encontramos un sitio en la orilla donde sentarnos y Anna se mete un trozo de pan en la boca. Cierra los ojos y deja que la masa y el chocolate se fundan sobre su lengua.

—Dios, esto es increíble. ¿Por qué no podemos hacer un pan que sepa así?

—¿Tú y yo? —bromeo, y se me queda mirando.

—Los americanos.

—Ah. Porque no somos franceses —digo, pragmático.

Arranca otro pedazo de pan y me lo introduce en la boca, presumiblemente para hacerme callar.

Pasamos el resto de la mañana deambulando sin rumbo, paseando por los callejones más pequeños que podemos encontrar, entrando en panaderías que huelen demasiado bien para limitarse a pasar de largo. Anna se detiene en la tienda de una esquina en la que parecen vender de todo, desde bebidas hasta chucherías parisinas sin ningún valor, y se acerca a la nevera. Coge dos botellas de agua y me lanza una.

La cajera nos está cobrando cuando Anna ve un expositor en el rincón.

—Ah, toma. —Me entrega un plano plastificado—. Esto es lo que nos hace falta —dice, golpeando la superficie con el dedo.

Se lo quito de la mano y lo devuelvo al estante que ocupaba.

—No necesitamos ningún plano.

—¿Por qué no? —Al principio parece confundida,

pero luego pone cara larga—. ¿Cuántas veces has estado en París?

—Dos. Ambas para conciertos, y apenas paseé por la ciudad. —Anna aguarda pacientemente una explicación mejor—. Prefiero perderme.

Levanta las cejas y me mira.

—¿Quieres perderte? ¿En París?

—Será divertido.

No parece convencida. Puede que parezca incluso algo aterrorizada. De modo que cojo el plano del estante y lo dejo sobre el mostrador.

—Está bien. Tendremos un plano. Pero solo por si acaso.

La cajera nos dice el total, pero levanto la mano en el aire y le pido que espere.

—Quédate aquí. Vuelvo enseguida.

Anna ladea la cabeza y adopta una expresión como diciendo «¿No lo hemos discutido ya?», pero me río entre dientes y me alejo de todos modos.

Tengo que serpentear por varios pasillos, pero finalmente doy con una pequeña sección de accesorios de bicicleta y es allí donde encuentro los candados. Vuelvo al mostrador, recurriendo a un ligero juego de manos para esconderle el candado que he cogido.

—Toma —digo mientras me quito la mochila y se la paso a Anna junto con el plano—. Busca un bolsillo muy poco práctico para meter esto, ¿quieres?

Mientras está ocupada con la cremallera, saco el candado y su llave del envoltorio y me los guardo en el bolsillo delantero de los vaqueros.

La miro y digo:

—Ahora tenemos un destino.

—Ah, ¿sí?

—Sí. Quiero enseñarte algo.

—¿Necesitas el plano?

Sonríe.

La miro y niego con la cabeza.

—No, no necesito el plano.

Tal vez sí necesite el plano. Llevamos andando por las orillas del río más de cuarenta minutos y seguimos pasando puentes, pero aún no he encontrado el cartel que señala el que ando buscando. Me concedo un puente más antes de rendirme. Entonces lo veo: un rótulo de color verde oscuro con letras blancas que reza: PONT DES ARTS.

La pasarela de peatones está más abarrotada de lo que esperaba. Hay parejas sentadas en los bancos del centro y gente agrupada a lo largo de las barandas. Todo el mundo parece hablar francés.

Encuentro un sitio junto a la baranda y me siento. Me reclino contra un poste y Anna se instala entre mis piernas. Justo cuando se recuesta contra mi pecho, pasa una sirena de policía atronando hasta que se pierde a lo lejos.

—Me encanta cómo hasta los sonidos más corrientes te recuerdan que estás en otro lugar —comenta.

Permanecemos en silencio un buen rato, contemplando el agua, hasta que Anna tuerce el cuello y levanta la mirada hacia mí.

—He estado muriéndome de ganas de preguntarte algo —dice. Debo de poner una expresión afirmativa, porque de repente se vuelve de cara a mí y me mira fijamente—. Cuando paraste el incendio, ¿sentiste lo mismo que después de que cambiamos la situación de Emma?

Su pregunta me pilla desprevenido y reacciono eludiéndola.

—Yo no paré el incendio. Alteré varias cosas que conducían al incendio. Es muy distinto.

Pero Anna sigue observándome, sin dejarme escapar.

Le devuelvo la mirada mientras recuerdo cómo permanecí en mi habitación aquella noche imaginándome la expresión en la cara de Anna cuando vio por primera vez a Emma, ilesa.

—¿Antes, durante o después? —pregunto.

—Todo eso.

Coge el dobladillo de mi camiseta y juguetea con él, pasando un dedo por todo el borde.

Empiezo a recurrir a las cosas que digo cuando no quiero dejar entrar a la gente: palabras sencillas como «bien» y «bueno» que con tanta facilidad se escapan de mi lengua. Pero, en lugar de eso, siento que me inclino algo más cerca, como si estuviera dispuesto a contárselo todo.

—¿Antes? Asustado —digo con voz apagada—. Cuando me pediste que retrocediera y ayudara a Emma, sinceramente no creí que pudiera repetir tantos días, y aunque pudiera, no tenía idea de si daría resultado. Habría podido ocurrir cualquier cosa. Habríamos podido salir rebotados en el acto. O habríamos podido cambiar la serie de acontecimientos, pero el accidente de tráfico habría podido suceder horas después. El número de cosas que habrían podido salir mal era...

Dejo la frase en puntos suspensivos, moviendo la cabeza.

—Creía que con Emma sería la primera y última vez que haría algo así. Pero cuando oí lo que les ocurrió a esos niños, supongo que quise volver a probarlo. Quiero decir, si pude retroceder dos días, ¿por qué no tres? Y si aquello funcionó, si conseguí cambiarlo... Aun así, mentiría si dijera que no estuve aterrorizado todo el tiempo.

Anna no dice nada; se limita a trazar círculos diminutos en mis palmas otra vez, como hizo en el jardín de atrás de Emma ayer por la noche. Creo que eso significa que debo seguir hablando.

—Durante, no pensé en nada más. Solo esperé que diera resultado.

Me viene a la cabeza una imagen de las fotos escolares que flanqueaban el pasillo del apartamento 3.º C.

—Y después...

Me interrumpo. No sé qué decir sobre el después. Después de instalar el detector de humo y volver a casa, esperé a ver las noticias y averigüé que el rehacimiento había funcionado. Mi padre parecía orgulloso y estupefacto al mismo tiempo, como si yo hubiera protagonizado un jonrón inexplicable al final de un partido de béisbol igualado.

—Después —repito—. Fue como estar dentro de uno de esos libros de «elige tu propia aventura» y escogiera un final distinto. Aquellos dos niños estaban sanos y salvos, y sabía que no deberían haberlo estado. Y eso era... extraño..., saber que murieron.

Anna se lleva mi mano a los labios y la besa.

—¿Y qué me dices de los efectos secundarios?

—Nada —susurro—. Ni jaqueca, ni deshidratación. Ningún efecto secundario. Me sentí como si hubiera dado la vuelta a la manzana corriendo.

Pasa otro barco turístico y nos paramos a escuchar cómo el guía recita las peculiaridades de este puente, que ya hemos oído dos veces.

—¿Crees que...? —empieza a decir Anna. Se detiene y espera a que un grupo de niños con uniformes de fútbol iguales pase de largo—. ¿Crees que es posible que los rehacimientos no estén tan mal?

Sacudo la cabeza.

—¿Qué quieres decir? ¿Que debería cambiar las cosas? Ni hablar. Lo hice una vez por ti. Supongo que lo hice esa segunda vez por mi padre. Pero fueron incidentes aislados que opté por hacer. No es que tenga la misión de impedir las tragedias del mundo. Además, todavía no sé si hay consecuencias o no.

Ni siquiera sé expresarlo en voz alta, pero una parte de mí aún se pregunta si las personas cuya vida he alterado están acusando su pasado transformado. ¿Sabe Emma de un modo inconsciente que sufrió un grave accidente de tráfico? ¿Y aquellos dos niños...? No puedo pensar en ello.

—Mira, nada ha cambiado. Solo soy un observador. No debo alterar el futuro.

—Yo no digo que debas hacerlo, sino que te has sentido bien cuando lo has hecho. Quiero decir, Emma y Justin están bien, ¿no? No les ha ocurrido nada horrible, solo... han tenido una segunda oportunidad. Y gracias a ti, como aquellos niños.

Miro detrás de ella, con los ojos fijos en el agua. Una segunda oportunidad. Me agrada la idea. No es que importe mucho, puesto que ya no volveré a hacerlo.

—Eh —digo, reclinándome y rebuscando en el bolsillo delantero—. Casi me olvidaba de por qué te he traído aquí.

Me mira con una sonrisa curiosa. Abro la mano y deposito el candado de latón en su palma. Aparta los ojos de mí para mirarlo.

—¿Por qué tengo un candado en la mano?

La luz del sol rebota en la superficie cuando lo gira, examinándolo desde todos los ángulos como si eso le hiciera comprender.

—Seguramente no debería decirte esto, ya que implica ciertos detalles del futuro, pero me enteré de una historia y me pareció guay. —Me remuevo inquieto y respiro hondo—. Nadie sabe exactamente cuándo empezó, pero a finales de 2009 todas las barandas de este puente estarán llenas de candados. Las parejas que venían a París desde el mundo entero comenzaron a escribir sus nombres en ellos, a sujetarlos a esta baranda y a tirar la llave al río como símbolo... —Anna tiene una expresión que no sé interpretar, y me percato de pronto de lo bobo que parezco— de, bueno, su... Oh, no importa.

Extiendo el brazo hacia el candado, pero ella cierra el puño.

—Para. No vas a coger nuestro candado.

—Que sí.

Trato de cogerlo otra vez, pero ella se ríe y esconde la mano detrás de la espalda.

Me mira a los ojos.

—Continúa.

—No. Oí esa historia y me pareció muy romántica, pero ahora que la digo en voz alta resulta demasiado cursi.

—No, no lo es. —Vuelvo a reclinarme contra el poste. Cuando se da cuenta de que no intentaré quitárselo de nuevo, Anna se lleva la mano al regazo y abre la palma—. Me encanta.

—¿Sí?

—Sí. —Vuelve a girar el candado en su mano, esta vez como si lo estuviera admirando—. No tenemos nada para escribir.

Me inclino hacia atrás y saco un rotulador negro del bolsillo de mis vaqueros. Cuando se lo ofrezco, se echa a reír.

—Típico. Toma —dice, pasándome el candado—. Deberías escribir tú. Ha sido idea tuya.

Niego con la cabeza. Estamos en 1995, en su mundo, y parece que debería hacerlo ella. Cuando se lo digo, destapa el rotulador y acerca la punta de fieltro al metal.

—¿Qué pongo?

—Lo que quieras.

Se lo piensa un momento y escribe ANNA ♥ BENNETT sobre la superficie.

—No es muy inspirado, ¿verdad?

Se detiene y mira hacia el agua como si tratara de decidir el modo de terminar lo que ha empezado. Vuelve a acercar el rotulador al candado y escribe «12/1995». Se lo queda mirando.

—Me gusta —digo—. Ahora es cursi y misterioso a la vez.

—Ay. Como nosotros.

—No, no es como nosotros —replico—. No somos nada misteriosos.

Le entrego la llave y la introduce en la cerradura. El pestillo se abre con un pequeño chasquido, y Anna pasa el candado por la valla de tela metálica y lo cierra de golpe. Desliza la yema del dedo sobre la superficie y suelta una risita.

—¿No sería divertido que fuéramos nosotros los que iniciamos esa tradición de los candados?

—Quizá lo somos.

—Eso me gusta —admite.

No tengo valor para decirle que en 2010 quitarán todos los candados. Ni que, en 2011, aparecerán de nuevo, ni que en 2012 volverán a quedar muy pocos espacios libres en la baranda. Pueden cortar nuestro candado. Regresaremos aquí juntos —en 1998, en 2008 y en 2018— y lo reemplazaremos cada vez que lo retiren. Contemplo la llave en la mano de Anna, preguntándome si es realista pensar que aún estaremos juntos dentro de unos años, viviendo de este modo.

Ni siquiera he soñado nunca con ella, pero ahora mismo lo único que quiero es que esta persona que me ha atrapado tan completamente forme parte de mi presente y mi futuro. Mientras no piense en la logística, parece posible.

Anna me besa. Entonces los dos besamos la llave y ella la arroja al río.

17

Anna y yo pasamos el resto de la tarde deambulando. No tenemos ningún destino en mente, así que giramos cuando creemos que debemos girar, nos paramos cuando nos apetece parar y asomamos la cabeza en comercios que parecen interesantes. Entramos en tiendas de discos para poder comprar CD de importación que costarían una fortuna en Estados Unidos. Elegimos postales.

Nos detenemos en una panadería a comprar una *baguette* y luego, sin siquiera hablarlo, franqueamos una serie de puertas de hierro forjado y accedemos a un parque. Está lleno de actividad y, mientras seguimos el camino, pasa gente por nuestro lado corriendo o con patines en línea. Anna me sorprende cuando me aparta del sendero y me lleva detrás de una espesa arboleda para besarme.

Vemos un partido de fútbol y nos sentamos en la hierba a mirar. Todo aquello es acción continua, pero a los dos nos cuesta trabajo apartar los ojos de un chico que viste una camiseta verde brillante. Es el más bajito de todos y muy rápido, pero es más que eso: resulta divertidísimo de ver. Pone una cara muy seria hasta que lanza un tiro, pero entonces alza los brazos al aire en señal de victoria y suelta un grito, aun cuando falla.

Media hora después seguimos enganchados al partido, que ahora está empatado dos a dos. El chico de la camiseta verde chuta la pelota y echa a correr hacia la portería. Entonces se abre, agita los brazos en el aire, y el balón regresa volando hacia él. Pero justo cuando está a punto de golpearlo, otro jugador llega corriendo desde la dirección contraria. Los dos chocan brutalmente y el chico de la camiseta verde cae al suelo, sujetándose la pierna. Todo el mundo se reúne a su alrededor, de modo que es imposible ver qué ocurre.

Al cabo de unos minutos sale de la aglomeración apoyando los brazos sobre dos compañeros de su equipo. Tiene el rostro marcado por el dolor mientras se dirige saltando sobre una sola pierna hacia el banco más próximo. Se sienta y hunde la cara en sus manos mientras le quitan la bota.

—Me pregunto si se la ha roto —dice Anna.

Todo lo que se me ocurre decir es:

—Pegan duro.

—Bennett —dice en voz baja.

La miro.

—¿Sí?

Aún tiene los ojos clavados en el chico de la camiseta verde y una expresión muy extraña en la cara.

—¿Y si le dieras una segunda oportunidad?

Niego con la cabeza. Enérgicamente.

Me mira.

—Podrías probarte. Ver si los efectos secundarios te afectan o no. Y si lo hacen, yo puedo ayudarte.

Es una idea ridícula. Ni siquiera sé qué hora es ni cuánto tiempo llevamos aquí, pero sí sé que hemos estado completamente a cielo abierto, a la vista de todo el mundo. Necesitaríamos un punto seguro al que poder regresar sin ser vistos, y no disponemos de ninguno. Pero entonces me acuerdo de que Anna me ha arrastrado detrás de los arbustos para besarme.

—En la panadería había un reloj —dice—. Eran las 14.10. Hemos llegado al parque, hemos paseado por él y debían de ser... ¿qué te parece, las 14.30 cuando nos hemos sentado aquí?

Habla deprisa, piensa demasiado y se está entusiasmando en exceso con esto. Pero antes de que yo pueda decir nada, se levanta, se dirige hacia el camino y regresa en menos de un minuto.

—Ahora mismo son las 15.05.

Vuelvo a mirar al chico de la camiseta verde. Tiene la cara contraída y la pierna estirada delante de él, y todavía no sé si está rota o no, pero es evidente que le duele mucho. Pienso en todas las horas que Anna acaba de recitarme de un tirón y, antes de darme cuenta, le doy la mano y la conduzco de vuelta a ese lugar detrás de los arbustos.

—Esto es una locura —digo.

Cuando llegamos, se vuelve de cara a mí. ¿Cuándo hemos estado aquí por última vez? ¿A las 14.20? ¿A las 14.25? No puedo saberlo, y tengo que estar seguro, o la Anna y el Bennett que regresen a esa parte de la cronología desaparecerán como por arte de magia en medio de la calle, o en la entrada del parque, o de delante de la cola de la panadería.

Pienso en cada paso que hemos dado, y entonces le tomo las manos y cierro los ojos. Cuando los abro, estamos a pocos metros de donde hemos partido, en el camino y bien a la vista. Los dos echamos a correr hacia los arbustos y nos escondemos detrás de ellos durante un par de minutos, hasta que tengo la certeza de que no nos ha visto nadie.

Nos acercamos corriendo al partido de fútbol y nos sentamos en el mismo sitio, observando el mismo juego.

El chico de la camiseta verde brillante está perfectamente, esprintando hacia la pelota, chutando con potencia y levantando los brazos con deleite a cada ocasión. Esta vez, Anna está sentada más cerca de mí, con las piernas dobladas delante de ella y una pierna descansando sobre la mía. Me aprieta la mano y se nos ocurre un plan.

El marcador refleja dos a dos y están todos alineados, a punto de ejecutar esa última jugada. Antes de que impulsen el balón, Anna me mira, se levanta y echa a correr por el límite del campo cerca de la portería. La jugada discurre igual que antes. El chico chuta y se lanza a la carrera, pero esta vez, cuando está a punto de levantar los brazos, Anna grita «¡Alto!» a pleno pulmón.

La mayoría de los chicos no le hacen caso, pero el de la camiseta verde se vuelve, solo un segundo, y la mira. Para cuando devuelve su atención al juego, es demasiado tarde. El otro chico se ha hecho con el balón y se dirige con él hacia la portería contraria. Chuta con fuerza, marca y termina el partido. El chico de la camiseta verde agita las manos hacia Anna y le grita en francés.

Ella regresa conmigo, corriendo y riendo, y cuando pasa por mi lado me da la mano. Divisamos un banco escondido y nos dejamos caer sobre él. Me tiemblan las manos y el corazón me late tan fuerte que tengo la sensación de que se me saldrá del pecho.

—No sé por qué os dejo convencerme de estas cosas —digo, jadeando—. Tú y Brooke. —Sacudo la cabeza—. Tenéis demasiado en común. —La miro ahí sentada, recobrando el aliento, sonriendo y visiblemente orgullosa de sí misma—. Por cierto, tienes un aspecto adorable cuando evitas tragedias.

Me pone las manos en el rostro y me besa, aunque hay gente por todas partes.

He pasado todos estos años procurando no alterar el

más mínimo acontecimiento y ahora, en los siete meses desde que conocí a Anna, he cambiado cosas intencionadamente cuatro veces. Y no parece que ninguna de ellas haya desbaratado el universo ni nada parecido.

—¿Cómo te sientes? —pregunta cuando se aparta.

—Bien. —La miro y sonrío—. Muy bien.

Cuando empieza a ponerse el sol, nos sentimos las piernas como si fueran de goma después de subir tantas escaleras y colinas, y ahora estamos de pie en un rincón escondido de un callejón sin salida, cogidos de la mano, sonriéndonos y andándonos con rodeos.

—¿Estás lista? —pregunto.

—No —contesta—. Ni de lejos.

Pero no podemos ausentarnos más tiempo. Le pido que cierre los ojos y obedece, pero antes de hacer lo mismo echo una última mirada a esta calle parisina. Luego dejo que mis ojos se cierren.

Cuando los abro, estamos exactamente en la misma posición, en mi cuarto en casa de Maggie, y es el sábado por la mañana. Miro el reloj. Las diez en punto.

Casi al instante, Anna suelta un gemido y se lleva las manos al estómago. Se deja caer al suelo y se recoge las rodillas contra el pecho. Me siento a su lado, y aunque me duele la cabeza y veo borroso, me quito la mochila y palpo su interior, buscando el paquete de galletas saladas. Cuando lo encuentro, rompo el envoltorio y se lo tiendo. Anna me da las gracias con un murmullo y muerde una esquina de la galleta mientras busco las botellas de agua.

Nos quedamos así durante más de veinte minutos, yo vaciando botellas de agua y de Frappuccino, y Anna mordisqueando galletas saladas y procurando no vomitar.

—Esto sí que es romántico —dice, recostando la cabeza sobre mi hombro.

Suelto una risa débil y dejo caer mi cabeza contra la suya.

Finalmente, Anna afirma que tiene fuerzas suficientes para ponerse en pie. Pero cuando intento decir «Te acompañaré a casa», se me traba la lengua, y cuando me levanto, me flaquean las piernas. Me inclino sobre la cama, apoyando una mano sobre la superficie para mantener el equilibrio. Estoy agotado. Soy incapaz de recordar la última vez que me sentí tan cansado.

—Tiéndete —sugiere Anna mientras me empuja suavemente hacia la cama y me levanta los pies del suelo. La oigo decirme que me incorpore un poco. Noto que acomoda la almohada debajo de mi cabeza. Creo que me quita los zapatos—. Cierra los ojos —la oigo decir en voz baja y tranquilizadora mientras se sienta en el borde de la cama y me pasa los pulgares por la frente.

Después de eso, no me acuerdo de nada.

18

El tenue sonido de una llamada a la puerta me despierta de un sueño profundo. Me incorporo en la cama y me froto la cabeza con ambas manos. La siguiente llamada es más fuerte.

—Adelante.

Me noto los ojos como si los tuviera pegados, pero los obligo a abrirse cuando la puerta rechina y Maggie asoma la cabeza dentro. Parece sorprendida al verme retorcido y despeinado sobre el edredón.

—Lo siento —dice—. No sabía que dormías. Solo quería saber si estarías aquí para la cena.

Me aprieto las sienes con las yemas de los dedos y echo una ojeada a la radio despertador que hay en la mesita de noche. ¿De verdad son las 18.12? ¿Me he pasado toda la tarde durmiendo? Lo último que recuerdo es cuando Anna me ayudó a acostarme. ¿Han transcurrido realmente casi ocho horas desde entonces?

—Estoy haciendo carne asada a la cazuela.

Maggie sonríe al decirlo, como si tuviera que convencerme. Pero no es así. Me llega un olor delicioso. Me dispongo a decirle que bajaré en un momento cuando cruza los brazos y adopta una expresión seria.

—¿Te encuentras bien, Bennett?

Me obligo a levantarme y a plantar los pies en el suelo.

—Estoy bien. Solo muy cansado.

—*Jet lag* —se limita a decir, y cierra la puerta a su espalda.

Si supiera que no me he subido nunca a un avión...

Me pongo unos vaqueros limpios y busco una camisa en la cómoda. Aún me siento tembloroso y tengo un poco de frío, así que me pongo una de franela.

Abajo, encuentro a Maggie poniendo la mesa para dos. Levanta la vista hacia mí y sigue doblando las servilletas en forma de triángulo. Adopto mi antiguo papel aquí: saco dos vasos del armario y los lleno de leche.

Maggie y yo nos sentamos cortésmente como si fuera un invitado en su casa. Trato de encontrar temas sobre los que conversar, pero lo único en que puedo pensar es en Anna y el día que hemos pasado en París. Lo aparto de la mente mientras hinco el diente a la carne asada y le hablo de la fiesta de Emma con todo lujo de detalles, hasta el arco hinchable y el DJ en el jardín de atrás. Maggie se ríe de un modo alentador y hace muchas preguntas sobre la gente que conozco aquí. Luego se produce una pausa y me mira fijamente.

—Parece que has hecho muchos amigos en Westlake —comenta sin mirarme.

Empiezo a responder, pero me quedo helado. Es la primera vez que da a entender que sabe que le mentí acerca de que el año pasado estudié en Northwestern, pero lo deja ahí y sigue comiendo como si no pasara nada.

—A mi hija también le gustaba mucho.

Esta sería una ocasión óptima para disculparme por haberle mentido. También sería una gran oportunidad para decirle que su hija y mi madre son la misma persona. Si bien ambas cosas son ciertas, me siento algo mareado cuando tengo estos dos pensamientos, así que no hago caso y trato de concentrarme en la cena como si la aseveración de Maggie no exigiera respuesta. Pero entonces oigo las palabras de Anna dentro de mi cabeza: «Estaría bien tener una persona en mi vida con la que poder hablar de ti... alguien a quien no tenga que ocultar tu secreto.» No puedo dejar esto a un lado.

Se me revuelve el estómago, y lo que en realidad quiero hacer ahora es salir por la puerta de atrás, atravesar el huerto de tomates y dar con un lugar desierto en el que desaparecer. Podría estar de vuelta en San Francisco en menos de un minuto.

Antes de dejar que mis pies dicten mis siguientes pasos, consigo articular las palabras:

—Maggie, tengo que decirte algo.

Y ya está. Ahora no tengo elección. No hay nada más que deba decirle.

—Claro.

Creo que ahora procura no mirarme. Y, desde luego, yo procuro no hacerlo.

Estoy removiendo el puré de patatas con el tenedor como si las palabras que necesito encontrar estuvieran enterradas ahí debajo.

—No sé muy bien cómo explicar esto. Tengo una cualidad... poco común.

Me crispo cuando oigo estas palabras saliendo de mi boca. Ella me está mirando, esperando a que continúe, y de repente me pregunto si no sería mejor mostrárselo. A fin de cuentas, funcionó con Anna. Retiro mi silla de la mesa y me acerco a la encimera.

Suelto el aire. Allá vamos.

Maggie deja el tenedor y se limpia la cara con la servilleta.

—Mira —digo. Y cierro los ojos, pero antes de hacerme desaparecer, agrego las palabras—: Por favor, no te asustes.

Segundos después me imagino la habitación de arriba, y estoy de pie en medio de ella. Abajo, oigo gritar a Maggie. Cuento hasta diez, vuelvo a cerrar los ojos y regreso al mismo lugar de la cocina. Ella está de pie delante de mí y, cuando se dispone a alejarse, me pega con fuerza en el hombro. Murmura algo que podría ser una disculpa y se sujeta a la encimera para mantener el equilibrio. Quizá no haya sido esa la mejor forma de darle la noticia.

Extiendo las manos y le cojo los brazos.

—No pasa nada. No debes asustarte.

Se queda mirándome, con la boca abierta y los ojos como platos. La conduzco hacia la silla y se sienta, con los antebrazos apretados contra la formica, con la mirada clavada en su plato sin terminar.

Me siento a su lado.

—Quiero que sepas quién soy, Maggie.

No levanta la vista hacia mí, pero la veo asentir con la cabeza.

—Hay muchas cosas que ya sabes de mí. Me llamo Bennett. Vivo en San Francisco. Creo que sabes que tengo diecisiete años y que nunca he ido a Northwestern, y siento haberte mentido y haberte dicho que fui allí.

Todo esto sonaba mucho mejor dentro de mi cabeza. No sale ni mucho menos como pretendía. Maggie asiente levemente, pero no sé si me sigue o solo quiere que continúe con la esperanza de que vaya al grano.

—También hay muchas cosas que no conoces. Como... que... mi madre es tu hija. Tienes la casa repleta de fotos suyas. —Me noto las manos húmedas, así que me las froto en los vaqueros y sigo hablando. Ahora no puedo parar—. No hay muchas de tu nieto porque ahora mismo solo tiene siete meses. Y... —Me detengo a tomar aire, pero parece inútil. Debería escupirlo de una vez—. Esto te resultará muy extraño, pero... ese es el motivo de que tu nieto y yo nos llamemos igual.

Esta vez su cabeza no se mueve.

—Soy... —Me paro. Respiro. Lo intento de nuevo—. Soy tu nieto y tengo diecisiete años —balbuceo— en 2012. No en 1995.

Sigue sin haber respuesta. No tengo ni idea de qué hacer, de modo que prosigo aun tropezándome en cada palabra.

—Cuando tenía diez años descubrí... sin querer... que podía... viajar. Puedo retroceder en el tiempo: cinco segundos, diez minutos, cuatro meses, varios años... hasta el día en que nací. El 6 de marzo de 1995. Es todo lo lejos que puedo ir.

Los hombros de Maggie suben y bajan.

—Nunca intenté quedarme en el pasado, no hasta la última vez que estuve aquí. ¿Te acuerdas cuando llegué el pasado mes de marzo... cuando estaba tan mareado?

Un leve asentimiento.

—En realidad no estaba mareado. Estuve... desapareciendo. Intentaba quedarme aquí, pero salía rebotado hasta mi dormitorio en 2012. Es así como funciona, ¿sabes? Cuando trato de forzar los límites de lo que puedo hacer, soy enviado al lugar que me corresponde. Es como si el tiempo dijera que no estoy donde debería. Es la única vez que no tengo control. Y entonces duele. A veces, mucho. Finalmente... supongo que me entrené para quedarme aquí.

Maggie se lleva la mano a la boca, pero sigue dándome la espalda.

—Estaba aquí solo porque perdí a mi hermana, Brooke. Ella quería ir a ese concierto en Chicago en 1994. Ninguno de los dos creía que podríamos conseguirlo, pero funcionó. Lo hicimos. Pero un par de minutos después, yo salí rebotado a mi presente y Brooke, no. Se quedó atrapada en 1994. Así que vine aquí, a tu casa, en 1995, tratando de acercarme a ella todo lo posible.

Se hace el silencio durante cosa de un minuto.

—¿La encontraste?

Me alivia oír el sonido de la voz de Maggie, baja y serena. Está asimilando la información y pienso que es una buena señal.

—Sí. Rebotó hasta casa al cabo de unos meses. Y creo que es por eso que no pude volver aquí. En cuanto estuvo en casa, no pude ir a ninguna parte durante algún tiempo.

Me imagino regresando al mismo día, una y otra vez, para ver a Anna en la pista. Empiezo a decírselo a Maggie, pero decido que quizá sería más información de la que necesita saber.

Me sirvo un vaso de agua, no porque esté deshidratado, sino porque estoy ansioso por hacer algo con las manos. Lleno otro vaso y lo empujo sobre la mesa hacia Maggie. Lo coge enseguida.

—¿Lo saben tus padres? —pregunta.

—Tenía doce años cuando lo descubrieron sin querer.

Ahora a Maggie le tiemblan las manos. Me mira.

—¿Saben que ahora estás aquí?

Niego con la cabeza.

—Sabían que estaba aquí la pasada primavera, pero ignoran que he vuelto. Brooke lo sabe, pero mis padres... —Dejo la frase inacabada, pero Maggie me mira como si esperara que siguiera. Niego con la cabeza de nuevo—. No lo entenderían.

Maggie se inclina hacia delante. Sus mejillas parecen haber recobrado el color.

—¿Dónde creen que estás ahora?

—Escalando rocas y de acampada con mi amigo Sam.

—¿Sam?

—Sí, Sam.

—¿Así que no estás... en... San Francisco 2012 ahora mismo?

—No, cuando me marcho, ya no estoy. Desaparezco de allí y vengo aquí. Esta vez llevo ausente desde el viernes por la noche. —Apoyo los brazos sobre la mesa y le explico cómo funciona. Me escucha con atención, pero no hace más preguntas—. Si quisiera, podría regresar a San Francisco ahora mismo y llegar el viernes, solo cinco minutos después de irme. Y aunque me hubiera marchado por dos días, mis padres nunca lo sabrían. Pero entonces repetirían esos dos días y me parece horrible hacerles eso. Así que... les digo que me voy de acampada, ¿sabes?

Maggie parece confundida.

—Sí, supongo que seguramente eso es lo mejor. —Toma otro sorbo de su vaso de agua—. ¿O podrías... decirles que vienes aquí?

Me echo a reír.

—No creo que fuera muy bien. —Empujo mi plato hacia el centro de la mesa—. Mamá quiere un chico de diecisiete años normal, que vaya en monopatín, haga exámenes y solicite entrar en la universidad, y que no escale rocas en Tailandia ni viaje para ver a su abuela en 1995 siempre que le apetece.

Finalmente le arranco una sonrisa.

—¿Y tu padre?

—Papá quiere que haga algo más con mi «talento», como él lo llama. Cree que soy especial y que debería deshacer entuertos, arreglar cosas y hacer heroicidades o algo así. —Cojo mi vaso y remuevo el agua de dentro, mientras pienso en el incendio de San Francisco, en lo que Anna y yo hicimos en París y en que, durante los últimos días, he empezado a creer que puede tener razón—. No lo sé. Hasta hace poco, he usado lo que puedo hacer en beneficio propio.

No le digo que también ha sido en beneficio suyo. No necesita saber lo que Brooke y yo haremos por ella dentro de unos años, cuando el Alzheimer la afecte y empiece a apoderarse de su cabeza y su vida.

Ahora Maggie parece más relajada. Se remueve en la silla y coge el vaso de agua.

—Eso parece propio de tu padre.

—¿De veras?

Asiente con la cabeza.

—Siempre ha sido algo vehemente. Mucho más que tu madre. —Maggie mira por encima de mi hombro, y cuando vuelvo la cabeza para seguir su mirada veo que está contemplando la imagen del vidrio de colores que hay colgado en la ventana de la cocina encima del fregadero, la que hizo mi madre cuando era niña—. Pero es un buen hombre, creo. Decididamente, ella le quiere. —Vuelve a mirarme y se inclina más cerca—. Y tú... Dios mío. Estuve allí poco tiempo, pero por lo que pude ver todo su mundo gira alrededor de ti y de tu hermana.

—Puede que eso sea cierto ahora, pero todo cambiará en cuanto descubra que no tiene un hijo normal que la mantiene ocupada con partidos de la Liga Infantil o funciones escolares.

Me freno justo a tiempo de decirle a Maggie lo que pienso realmente. Su hija no puede conmigo, un espectáculo de feria que se desarrolla a sus espaldas y le miente, todo para seguir haciendo lo que ella intenta desesperadamente evitar.

Maggie suelta un suspiro y mueve la cabeza.

—Apuesto que cree que eres singular.

No tengo ni idea de qué responder a eso, y se instala

el silencio durante largo rato. Finalmente me mira con una amplia sonrisa mientras extiende un brazo sobre la mesa. Me cubre una mano con la suya.

—Pese a todo, regresaré. Veré qué puedo hacer. Ahora que sé quién eres, quizá pueda aprovechar mis viajes a San Francisco para ayudar a tu madre a entenderte un poco más.

Se me encoge el estómago al pensar en la foto de nosotros tres en el zoo, y en que Maggie no habría venido aquel fin de semana si Anna no se lo hubiera dicho. No sé qué ocurrió antes de esa visita, pero sé qué sucedió después: Maggie no volvió nunca.

—Me temo que no puedes hacer eso —digo. No parece que entienda la implicación de Anna en todo este asunto y no quiero estropear el único recuerdo que conserva, diciéndole que no debería haber ocurrido nunca—. Viniste a vernos una vez, y basta.

—¿Una vez?

Retira su mano de la mía y veo cómo se le entristece el rostro al asimilar esa información. No dice nada, pero no necesita hacerlo. Su expresión lo dice todo. «Eso no es posible.»

Me veo obligado a contárselo todo, pero no puedo. Y ahora tengo que elegir mis palabras con cautela y usarlas con moderación, porque cuanto más sepa sobre el futuro, mayor será el peligro de que lo cambie sin darse cuenta. Quién sabe qué podría ocurrir si lo hiciera.

—Las dos no os hablasteis en mucho tiempo. No sé por qué, mi madre nunca habla de ello, pero Brooke y yo nunca te conocimos.

Me tropiezo en las dos últimas palabras y deseo enseguida poder retirarlas, pero ya es demasiado tarde. Maggie me ha oído. «Conocimos.» En pasado.

Se queda mirándome como si quisiera hacer la pregunta pero no supiera cómo expresarla ni si debería. La contesto en silencio. «Te moriste sin conocernos.»

Recuerdo aquellas semanas con demasiada intensidad. Nunca había visto llorar a mamá, pero el día que se enteró de que su madre había fallecido —sola en esta casa enorme— se puso histérica. Brooke y yo no sabíamos qué hacer, así que nos escondimos en su habitación, abrazados y llorando juntos sin entender muy bien por qué. Al día siguiente, mamá y papá cogieron un avión, pero no pudieron permitirse llevarnos a Brooke y a mí. Además, dijeron, éramos demasiado pequeños para asistir a un entierro. En aquel entonces yo desconocía lo que podía hacer; de haberlo sabido, las cosas quizás hubieran ido de un modo distinto.

Maggie aparta la vista de mí y pasea la mirada por la estancia antes de fijarla en la mesa.

—¿Tan tercas somos las dos? —se pregunta, y detecto la incredulidad en su voz. Levanta la cabeza despacio y me mira—. Pero ahora que lo sé, puedo cambiarlo. Puedo ser yo quien haga el esfuerzo para mejorarlo. ¿No?

Frunzo los labios con fuerza y niego con la cabeza.

—No puedes cambiarlo, Maggie. Tú no formaste parte de nuestras vidas al principio, así que no puedes formar parte de ellas ahora. ¿Quién sabe qué podría pasar si lo hicieras?

Me dirige una mirada obstinada, como si se planteara hacerlo de todos modos.

—Tienes que prometerme que no volverás más allí.

Respira hondo y clava sus ojos en los míos.

—No sé si puedo prometerte eso, Bennett.

No tengo más remedio que darle un ultimátum.

—Entonces retrocederé en el tiempo, justo después de que entres en mi habitación esta noche. Ese Bennett, el que es treinta minutos más joven que yo, desaparecerá tan pronto como yo vuelva, y ocuparé su sitio. Bajaré, y tú y yo tendremos una charla agradable y comeremos esta deliciosa cena. Y luego me levantaré de la mesa, te ayudaré con los platos y toda la conversación que ahora mismo mantenemos —hago un gesto entre ambos— no sucederá nunca.

Maggie apoya los codos sobre la mesa y oculta el rostro en sus manos. Los dos permanecemos así durante un buen rato: ella pensando en el futuro y yo sintiéndome fatal e impotente porque no podemos hacer nada.

—Está bien —dice con voz quebrada—. No volveré. —Se reclina repentinamente en la silla y cruza los brazos—. Antes has dicho que dolía cuando viajabas. ¿A qué te referías con eso?

Estoy sorprendido por la pregunta, pero agradecido por el cambio de tema.

—No duele cuando viajo a otro destino, como cuando vengo aquí desde casa, pero cuando regreso, sufro unas jaquecas terribles y estoy completamente deshidratado. Bebo café porque la cafeína alivia el dolor de cabeza y trago litros de agua para la deshidratación, y al cabo de una media hora desaparece.

—¿Así que tenías dolor de cabeza cuando antes has vuelto... de donde venías?

Niego con la cabeza.

—En realidad, solo tengo los efectos secundarios más graves cuando... salgo de la cronología, si quieres. Antes he subido las escaleras, he contado hasta diez y he vuelto. Hace algún tiempo también solía tener un ligero dolor de cabeza después de dar esos pequeños saltos, pero ahora ya no sucede tan a menudo.

Maggie asiente y da la impresión de que me sigue. Pero entonces se inclina más cerca y se le arruga la frente en señal de confusión y preocupación.

173

—No lo entiendo. Si duele, ¿por qué lo haces?

Al principio pienso en todos los lugares en los que he estado, todas las cosas que no habría visto jamás y las experiencias que nunca habría tenido si hubiera dejado que veinte o treinta minutos de dolor me impidieran viajar. Pero entonces la miro, y no creo que sea eso a lo que se refiere. Creo que quiere saber por qué vuelvo aquí.

Mis ojos escudriñan la cocina de Maggie hasta que se detienen en el mismo adorno de vidrio de colores que hizo mi madre. Pienso en las fotos de mi familia que recubren las paredes de la salita y los pasillos y en lo felices que parecemos todos. Recuerdo cuando abrí la puerta principal el pasado viernes, entré y sentí que un peso invisible se levantaba de mis hombros.

—Aquí me siento como en casa —contesto.

Me fijo en que los ojos de Maggie se anegan de lágrimas.

Suena el teléfono, se levanta y me deja solo a la mesa. Siento alivio al disponer de unos segundos para recobrar el aliento. Después de responder, me lanza una mirada.

—Sí, está aquí.

Regresa a la mesa y me tiende el teléfono inalámbrico.

—¿Diga? —pregunto.

—Soy yo.

Tan pronto como oigo la voz de Anna, todo mi cuerpo parece relajarse.

—Hola, tú.

Puedo oírla sonreír al otro lado de la línea.

—Es agradable hablar contigo por teléfono —susurra—. No creo que lo haya hecho nunca.

—¿Qué tal sueno?

Guarda silencio uno o dos segundos antes de contestar:

—Cerca.

Sonrío, pero no digo nada.

—Bueno —dice—. Emma y yo vamos al cine. Hemos pensado que tú y Justin quizá querríais venir.

Miro a Maggie y la veo trajinar, recogiendo cacharros y llenando el fregadero con agua caliente.

—Espera —digo antes de tapar el auricular con la mano—. ¿Te importa que vaya al cine?

—Claro que no.

Aunque estábamos en medio de una conversación muy seria, da la impresión de que lo dice de veras.

Vuelvo con Anna.

—Sí. ¿Qué película echan? —pregunto.

No es que me importe.

—Emma quiere ir al preestreno de *Empire Records* —dice—. Ni siquiera he oído hablar de ella. ¿Y tú?

Las palabras «clásico de culto» empiezan a salir de mi boca, pero las reprimo.

—Sí —respondo en su lugar—. Tengo entendido que es buena.

—Estupendo. Te recogeremos en veinte minutos.

Pulso el botón de fin de llamada y devuelvo el teléfono a su sitio en la pared. Cuando extiendo el brazo hacia mi plato para retirarlo de la mesa, Maggie me aparta la mano.

—Déjalo. Yo me ocuparé de los platos. Sal a divertirte.

—¿Estás segura? —pregunto.

Aún parecen temblarle un poco las manos.

—Segurísima.

Me vuelve la espalda y sigue acumulando los demás platos en el fregadero. Abre el grifo, y me dispongo a abandonar la estancia cuando oigo que el agua se detiene.

—¿Bennett?

Me vuelvo a mirarla mientras se seca la mano con un trapo de cocina.

Entonces cruza la cocina y me sorprende cuando me estrecha entre sus brazos.

—Gracias. Me alegro de que me lo hayas contado —dice.

Cierro los ojos al mismo tiempo que la envuelvo con los brazos. Parece menuda entre ellos, y cuando me frota la espalda, la estrecho aún más fuerte. He pasado todos estos años moviéndome furtivamente, ayudándola en secreto y siempre desde lejos, y me llena de alivio no tener que seguir haciéndolo. Ella sabe quién soy. Y de repente caigo en la cuenta de que estoy abrazando a mi abuela por primera vez. La estrecho con más fuerza todavía y ella hace lo mismo.

—Me alegro de conocerte ahora —dice.

—Yo también —respondo con voz entrecortada.

Respira hondo y me da un golpecito en la espalda.

—Bueno, lárgate. Tienes una cita. —Entonces se aparta dos pasos de mí y se detiene—. ¿Bennett? —El tono de su voz es cuidadoso e interrogativo, y se le marcan las arrugas en la frente cuando pregunta—: ¿Desde cuándo lo sabe Anna?

Cierro los ojos y pienso en el día en que estaba en la cocina de Anna y le mostré lo que podía hacer. Entonces dejo que mis recuerdos me lleven aún más lejos, hasta el día en que me entregó aquella carta en el parque.

Abro los ojos, experimentando una abrumadora sensación de alivio mientras una sonrisa se extiende poco a poco por mi cara.

—Anna lo sabe desde el principio.

19

Anna y yo pasamos la mayor parte del domingo en mi habitación, escuchando música y hablando de la próxima vez que volveré: dentro de tres semanas. Para el baile de antiguos alumnos. Anna me dice que por fin podré verla con el vestido que se compró para la fiesta de la subasta del pasado mayo y me recuerda que llegue aquí a tiempo para elegir un esmoquin.

La estancia se va oscureciendo, y cuando echo una ojeada al reloj y le digo que debo regresar, me noto un vacío en la boca del estómago. Va seguido de un torrente de culpabilidad por sentir eso con respecto a mi propia casa.

—Tengo algo para ti —anuncia Anna mientras cruza la habitación y enciende la luz. Saca algo de su bolso y lo esconde detrás de su espalda—. Elige una mano.

Señalo su lado derecho, abre la mano, me muestra que está vacía y vuelve a ponérsela detrás de la espalda. Debe de cambiar de manos, porque cuando señalo su lado izquierdo y abre la otra mano, también está vacía. Me mira con una sonrisa maliciosa, así que, impulsivamente, le sujeto las muñecas y la beso mientras se retuerce en mis brazos, riendo y tratando de mantener lo que sea que oculta detrás de su espalda fuera de mi alcance.

—¡Está bien! —exclama, muerta de risa mientras se escabulle y me aparta con el brazo extendido—. Toma.

Me entrega un álbum de ocho por trece centímetros con dibujos geométricos y la palabra FOTOS escrita en mayúsculas en la cubierta.

Lo giro en mis manos y Anna me dirige una sonrisa orgullosa mientras abre la cubierta. La primera foto es de nosotros, de pie en lo alto de la Torre Eiffel. Me estrecha fuertemente la cintura con los brazos, con el negro cielo parisino al fondo, y sonreímos a la cámara como si no existiera ningún otro lugar en el mundo en el que quisiéramos estar.

Paso una página tras otra, mirando las fotos que tomamos mientras anduvimos por París el viernes por la noche y ayer. Yo de pie delante de la Fontaine du Cirque. Anna delante de las puertas de hierro forjado que daban acceso al parque, sujetando una *baguette* como si fuera un bate de béisbol. Yo al pie del *Pensador,* imitando la pose. Ella en el puente, de pie junto a nuestro candado. Dios, ¿todo eso fue solo ayer? Hojeo las imágenes, sintiéndome agradecido por un talento que me permite llevarla a París con cualquier pretexto. Me siento igual de agradecido de que me permita pasar todo un día más con ella.

—Esto es increíble —digo mientras hojeo las páginas de plástico.

Y entonces llego a la última. No es de nuestro viaje a París de ayer, pero recuerdo la noche en que la tomamos con todo detalle. Anna acababa de regresar de La Paz. Estábamos espatarrados sobre la alfombra de su dormitorio y ella tenía el brazo levantado en el aire sosteniendo su nueva cámara en una mano. Me había plantado un beso en la mejilla cuando el obturador chasqueó. Examino la expresión de mi cara. Parezco feliz.

—Me encanta.

Me quedo mirando la foto, y luego vuelvo a mirarla a ella. Creo que debería decirle lo bonito que será tener algo que mirar cuando esté en casa echándola de menos, porque estoy seguro de que eso es lo que quiere oír ahora mismo, pero la verdad es que, cuando esté a diecisiete años de ella deseando no estarlo, hacer frente a estas fotos será lo último que querré hacer. Aun así, seguramente lo haré de todos modos.

—¿Lo ves? —Golpetea la cubierta del libro—. Y ahora tienes algo que enseñar a tu familia. —Su sonrisa parece dulce y esperanzada, pero son sus palabras lo que me devuelve a la realidad—. Pensé que como nunca podré ir a tu casa contigo a conocerles, por lo menos podrías mostrarles estas fotos. —Suelta una risita—. Ya sabes, para que no crean que soy un producto de tu imaginación o algo así.

Se me hace un nudo en el estómago.

Aguarda mi respuesta, y al ver que no digo nada sigue hablando.

—También he hecho un álbum de fotos para mí, pero por supuesto tengo que ocultárselo a mis padres. Les he convencido de que las chinchetas en mi mapa solo señalan sitios a los que me gustaría ir, pero no sé cómo podría explicar unas fotos de tú y yo en lo alto de la Torre Eiffel.

Bajo los ojos hacia las imágenes que tengo en las manos y vuelvo a pensar en nuestro fin de semana. Hablando con ella bajo una bóveda de árboles durante la fiesta de cumpleaños de Emma. La expresión de impaciencia en su rostro cuando le cogí las manos y le dije que cerrara los ojos, y el absoluto asombro que vi cuando los abrió. Quedarme dormido con ella en París. Despertar con ella en París.

Meto el álbum de fotos en mi mochila, evitando sus ojos.

—Buena idea. —Me pregunto si capta la culpabilidad en mi voz. Ojalá no hubiera traído esto ahora, cuando solo faltan unos minutos para irme y no volveré a verla durante tres semanas—. Hablando de mis padres, más vale que me vaya.

Cierro la cremallera de mi mochila y paso los brazos a través de las correas. Anna tiene la mirada fija en la moqueta.

Me le acerco y le acaricio los brazos.

—¿Estarás bien?

Asiente sin mirarme. Le tomo la barbilla y le levanto la cabeza.

—Baja y habla con Maggie.

Anna cierra los ojos, frunce los labios con fuerza y asiente.

Fuerzo una sonrisa valerosa, pero en mi fuero interno estoy pensando en cómo lo daría todo por quedarme aquí otro día, otra semana... otros tres meses. Esto de ser fuerte por alguien más resulta mucho más difícil de lo que creía. Sé que ella también trata de dominarse por mí.

—Volveré antes de que te des cuenta —digo, y aprieto los dientes tan pronto como estas palabras salen de mi boca.

—Lo sé. —Toma una bocanada de aire y la suelta en un suspiro—. Ha sido un fin de semana increíble.

Oculta la cara en mi pecho y me rodea con los brazos. Nos quedamos así largo rato, escuchando la música de fondo, tratando de hacer caso omiso de lo inevitable.

Se me ocurre de pronto: así es como será durante el siguiente año. Cada pocas semanas, así es como será despedirme de ella. Y lo que es peor, cada pocas semanas mientras estemos juntos, así es como nos sentiremos. ¿Llegaremos a acostumbrarnos a esto?

Alejo estos pensamientos mientras le planto besos en

el pelo y en las mejillas, que ahora están húmedas y sala-das. Le beso la frente y luego los labios. Necesito hacer acopio de todas mis fuerzas para soltarla y apartarme, pero lo hago.

Cierro los ojos y desaparezco.

SEPTIEMBRE DE 2012

20

San Francisco, California

Me golpeo la frente contra algo duro y me esfuerzo por abrir los ojos. Cuando lo hago, distingo el logo del Jeep en el volante. Todo está borroso, el interior del coche da vueltas y me siento los brazos pesados, como si llevara pesas atadas a las muñecas. Requiero toda mi energía para poner las manos en el volante, pero cuando toco el cuero, lo sujeto con fuerza, empujo y me recuesto sobre el reposacabezas.

Suelto un gemido.

Se me cierran los ojos y me quedo sentado en el oscuro y maloliente garaje, inhalando, espirando y procurando no pensar en que esto duele más de lo habitual. Es entonces cuando noto un cosquilleo, algo caliente que me baja hacia el labio superior. Lo lamo y mi boca se llena del inconfundible sabor a sangre, metálico y pegajoso. Me limpio la nariz con el dorso de la mano y cuando la bajo está manchada de rojo.

Inclino el retrovisor hacia mi cara. ¿Qué diablos?

La caja de accesorios resulta inútil para esta situación, pero la verdad es que no me esperaba tener necesidad de utilizar Kleenex. No me ha sangrado la nariz en mi vida. Uso la parte inferior de mi camiseta para pellizcarme la nariz, y minutos después la hemorragia ha cesado.

Hay un pequeño retazo de sol vespertino filtrándose a través de los laterales de la puerta del garaje. Engullo un Doubleshot de un solo trago y acto seguido vacío un Red Bull caliente y dos botellas de agua. Permanezco allí un buen rato, con los ojos cerrados, deseando que cese el dolor. Me miro en el espejo. Tengo la cara roja y contraída, y los ojos inyectados en sangre. Entonces echo un vistazo al reloj del salpicadero. Hace casi una hora que he vuelto.

Por fin, cuando ya no me palpita la cabeza, pulso el botón del mando a distancia, la puerta se eleva despacio y se detiene ruidosamente sobre mí. Giro la llave en el contacto y salgo del garaje.

Antes de cerrar la puerta, me vuelvo en el asiento. Cuando miro dentro, no puedo evitar reírme. Si alguna vez me permitiera creer que mi talento me convertía en una especie de superhéroe, sin lugar a dudas esto pondría las cosas en su sitio. Mi escondrijo secreto no es una guarida subterránea ni un edificio de hielo en el Ártico. Es un garaje. Un garaje oscuro y maloliente que un coche de tamaño mediano y un yo de tamaño mediano apenas pueden ocupar al mismo tiempo. Y, exactamente como esperaba que fuera, es perfecto.

Por suerte, la casa está en silencio y me cuelo dentro, cruzo la cocina y me dirijo hacia mi habitación, confiando en llegar allí antes de que mamá repare en las manchas de sangre en la parte inferior de mi camiseta. Me desvisto, escondo la ropa sucia en el fondo del cesto que hay en mi armario y me pongo un pantalón de chándal limpio.

En el cuarto de baño, me restriego la cara con una manopla.

De vuelta en mi habitación, abro la cremallera de mi mochila y saco el álbum de fotos que Anna hizo para mí. Lo sostengo en las manos, examinando los dibujos de colores vivos de la cubierta. Me dispongo a abrirlo, pero no tengo valor para hacerlo. Todavía no.

Abro el cajón de mi escritorio, y en el fondo veo mi libreta roja. Meto el álbum de fotos dentro con todo lo demás y cierro el cajón.

Estoy bajando la escalera cuando me asomo sobre la barandilla y veo a mamá y a papá junto a la puerta principal. Él se pone la chaqueta del traje sobre los hombros, se mira en el espejo del vestíbulo y se ajusta las gafas. Coge el bolso de mamá de la mesa y se lo alcanza. Ella le da las gracias mientras se lo coloca sobre el hombro.

—Hola —digo.

Los dos levantan la mirada al mismo tiempo. El rostro de mamá dibuja una amplia sonrisa.

—Oh, bien. Has vuelto. Ni siquiera te he oído entrar. —Se reúne conmigo al pie de la escalera—. ¿Cómo ha ido tu excursión de escalada? —pregunta mientras me besa en la mejilla—. ¿Te has divertido con tus amigos?

Hago caso omiso de su pregunta y cambio de tema afirmando lo que es evidente.

—Supongo que salís los dos.

—Nos hemos dado cuenta de que hace semanas que no vamos a cenar juntos —responde papá.

Está de pie detrás de mamá, acariciándole los brazos.

—¿Quieres acompañarnos? —pregunta mamá—. Con tantos deberes, apenas te hemos visto desde que empezó la escuela.

Su expresión es sincera, pero papá la mira como si no pudiera llegar a entender por qué me invita a acompañarles a una «cena juntos». Desde detrás de su hombro, se me queda mirándome con los ojos como platos y sacude levemente la cabeza, por si no supiera cómo responder.

Observo a ambos, quizá por primera vez, con otros ojos. Pienso en los comentarios de Maggie de la pasada noche, en el sentido de que papá siempre fue más vehemente que mamá pero ella le quería. Que sus mundos giraban alrededor de Brooke y de mí. Más que nada, quisiera poder charlar con mamá acerca de Maggie. Cada vez que he intentado hablarle de los tres meses que pasé viviendo allí, mamá me ha cortado en seco y ha dicho que no quería oírlo. Supongo que no es porque no quiera saberlo, sino porque no puede dominar su culpabilidad.

—¿Quieres venir? —repite mamá.

—No, gracias —contesto, y papá me hace un gesto de gratitud con la cabeza—. Que os divirtáis.

Cuando papá da la mano a mamá y la conduce al porche de delante, dice algo en voz baja. Ella se ríe y la puerta se cierra tras ellos.

Después de que se han ido, me quedo al pie de la escalera un buen rato, mirando al enorme ventanal que da a la bahía y preguntándome qué voy a hacer. Golpeteo la barandilla con los dedos y pienso en la semana que se me presenta. Mañana hay un examen de física y el martes tengo una entrevista con la organización de clases particulares para la que trabaja Sam. Debería empezar a estudiar.

Regreso a mi habitación, pero cuando estoy a punto de poner música y sacar los libros, se me ocurre otra idea. Abro el cajón más grande de mi escritorio y rebusco en el fondo. Cuando encuentro el álbum de fotos, vuelvo a meterlo en la mochila y bajo a buscar mi monopatín.

El sol empieza a ponerse cuando llego al parque, y me

alivia encontrarlo relativamente desierto. Aún hace calor, y contemplo la bahía de San Francisco, de un azul intenso y poblada de veleros. Me siento en el banco, saco el álbum de fotos de la mochila y hojeo las páginas. Esta vez, Anna está aquí conmigo.

OCTUBRE DE 2012

21

San Francisco, California

Me desplazo por el calendario de mi móvil, mirando todos los días que han transcurrido desde mi último viaje. Me imagino a Anna haciendo algo parecido, añadiendo otra X a la casilla de hoy de su calendario de pared antes de salir hacia la escuela. Nos acercamos cada vez más a la casilla señalada con las palabras «baile de antiguos alumnos». Solo faltan tres casillas. Tres días más.

Debería estar escribiendo un trabajo sobre la dinastía Zhou para Civilizaciones del mundo, pero en lugar de eso estoy mirando las etiquetas en la parte superior del navegador: DINASTÍA ZHOU – WIKIPEDIA, CIVILIZACIONES DEL MUNDO/RECURSOS ONLINE PARA ESTUDIANTES, PANDORA.

Hago clic en Pandora y cambio de emisora varias veces antes de quedarme con «Alternativa de los 90». Sin pensarlo siquiera, abro una nueva ventana del navegador y se despliega una página nueva. Repaso los artículos sobre las próximas elecciones a la presidencia y miro el vídeo de YouTube más visto hoy.

Hago clic en el botón de Prensa local y me desplazo

leyendo los titulares: IDENTIFICADAS LAS VÍCTIMAS DE UN ACCIDENTE DE AVIONETA. HOMBRE DETENIDO POR INCENDIO PREMEDITADO. MUJER ASESINADA DELANTE DE UN MERCADO. DESAPARECIDO DE DIECISÉIS AÑOS HALLADO MUERTO EN UNA PLAYA LOCAL. La lista de tragedias y casi tragedias que han ocurrido en el área metropolitana de la bahía durante las últimas veinticuatro horas es interminable.

Estoy a punto de cerrar la ventana y volver a mi trabajo cuando una noticia situada más abajo me llama la atención: PADRE E HIJA MUEREN ARROLLADOS POR CONDUCTOR ADOLESCENTE.

Hago clic en el enlace y se abre la foto de una bicicleta azul claro, retorcida y tirada en la cuneta. Leo la crónica:

19.34 h. Un conductor varón de diecisiete años ha atropellado hoy a una familia que iba en bicicleta poco después de las 15.30 h. La camioneta del adolescente ha perdido el control y ha colisionado con una boca de incendios antes de arrollar a un hombre y a sus dos hijas. El hombre y una de las niñas han fallecido, mientras que la otra ha resultado herida. El conductor ha sido dado de alta en el hospital con lesiones leves y detenido de inmediato bajo sospecha de homicidio involuntario.

Me ordeno cerrar la ventana, pero en lugar de eso bajo por la página y sigo leyendo.

Aún no se ha revelado la identidad de las víctimas, pero según la policía los ciclistas eran un hombre, su hija de nueve años y la hermana de esta, de doce. Tanto el hombre como la niña de nueve años han fallecido en el acto. La de doce ha sido evacuada al hospital con lesiones leves. El padre iba a buscar a sus hijas a la escuela todos los días en bici, para asegurarse de que volvían a casa sanas y salvas.

Las palabras me ponen enfermo, pero son las fotos lo que me hace polvo. Además de la de la bici azul claro, hay una imagen del edificio que finalmente ha detenido el coche. Su estuco está esparcido en montones sobre el suelo y tiene el armazón a la vista.

Me quedo mirando la pantalla mientras pienso en el conductor y en cómo un error tan pequeño —algo que ha sucedido en una fracción de segundo— acaba de cambiarle la vida por completo. Solo tiene diecisiete años, pero hoy todo su futuro se ha parado en seco en medio de un chirriar de frenos. Aunque su estancia en prisión sea mínima, ¿cómo podrá seguir siendo el mismo sabiendo que una niña y su madre se han quedado sin hermana e hija y sin padre y marido? Me lo imagino sentado con un mono naranja en un juzgado de primera instancia, deseando poder hacerlo todo de nuevo, deseando una segunda oportunidad. Y, dos pulsaciones de tecla después, la impresora cobra vida. Cojo el papel aún caliente y me dirijo hacia el piso de abajo.

La puerta del despacho de papá está entreabierta, pero de todos modos llamo antes de abrirla. Está detrás de su mesa trabajando con su ordenador. Levanta los ojos y me mira con una expresión curiosa mientras cruzo la estancia. No digo ni media palabra cuando dejo la noticia sobre su mesa delante de él.

—¿Qué es esto?

—Léelo.

Le echa un rápido vistazo y me mira.

—Dime que es muy mala idea —espeto.

Permanece en silencio un buen rato mientras lee el artículo, y luego sonríe.

—Es muy mala idea.

—Ya lo sé, ¿vale?

Se me queda mirando.

—¿Quieres que te acompañe?

Encuentro la vieja mochila de papá en el estante del garaje reservado a nuestro olvidado material de acampada familiar y le sacudo la fina capa de polvo que se ha acumulado con los años. Cuando era pequeño veía esa mochila cada fin de semana. Recuerdo lo grande que me parecía mientras seguía a papá en las excursiones de lobatos por la montaña.

Ahora trabajo con diligencia para prepararla para un tipo de aventura completamente distinto, llenándola con dos botellas de agua a temperatura ambiente de una caja que hay en el suelo junto al frigorífico. Me dispongo a volver dentro cuando veo mi monopatín apoyado contra la pared del fondo, y esto me da una idea. Lo meto en mi mochila, con un extremo saliendo por la abertura de la cremallera.

De vuelta en mi habitación, añado las demás cosas esenciales: fajos gruesos de billetes remetidos en los bolsillos de delante de las dos mochilas y una camiseta limpia hecha una bola en el bolsillo principal de la mía, por si acaso. Cuando paso por el cuarto de baño, cojo un buen puñado de Kleenex de la caja que hay sobre el estante.

Papá se pasea por el despacho y se limpia las gafas con el dobladillo de la camisa. Le alcanzo su mochila y cierro la puerta a mi espalda.

—¿Qué es eso? —pregunta, señalando mi mochila.

Me vuelvo a mirarla.

—Eso es un monopatín, papá.

—Gracias, Bennett. —Mueve la cabeza—. ¿Por qué te llevas un monopatín?

—Me mantengo fiel a mis normas. Sigo sin creer que deba cambiar las cosas intencionadamente, pero he estado... experimentando con alterar cosillas: ya sabes, detalles pequeños e insignificantes que podrían tener un efecto enorme en el desenlace. —Le dirijo una sonrisa maliciosa y hago un gesto hacia la tabla—. Esto es una diversión.

Papá parece conformarse relativamente con la escasa información que le suministro, así que extiendo las manos. Él baja los ojos y las mira con cautela.

—Ya ha pasado algún tiempo. ¿Aún te acuerdas de cómo funciona?

Asiente con la cabeza una vez. Cuando me las coge, lo hace con fuerza, y noto sus manos ásperas y grandes en las mías, no como las de Anna o las de Brooke. Por un momento me siento como si volviera a tener diez años: pequeño, frágil, en absoluto como la persona que tiene el poder.

—¿Estás listo? —pregunto.

Papá no dice nada mientras cierra los ojos.

Yo cierro los míos y me concentro en la hora. Visualizo el insulso callejón que he encontrado en Internet, a media manzana del cruce donde todo ha cambiado para cuatro personas. Rezo en silencio para que pueda arreglar esto para todas ellas.

—Abre los ojos.

Papá los abre y mira alrededor. Sé que trata de no ceder al pánico.

—¿Dónde estamos?

Hago un gesto hacia la otra punta del callejón. Los

coches pasan a toda velocidad, me encamino en esa dirección y le digo a papá que me siga. Cuando llegamos, asomo la cabeza por detrás de la esquina y capto los alrededores. A mitad de camino entre el callejón y el transitado cruce, veo una escalera de cemento que conduce a un bloque de oficinas. No la he observado en el plano, pero hace que este sitio resulte aún más idóneo.

Señalo a lo lejos, al otro lado del cruce, y papá se sitúa a mi lado, siguiendo mi mirada.

—¿Ves esa boca de incendios roja en la otra manzana?

Fuerza la vista.

—Sí.

Le cuento todo lo que sé de la crónica de Internet de la noticia.

—El coche perdió el control y chocó contra esa boca de incendios, y unos segundos después alcanzó a los ciclistas. Pero todos ellos pasaron por ese cruce, a horas distintas, antes de que ocurriera todo. Disponemos de unos diez minutos hasta que las bicis lleguen aquí, de modo que debemos hacer lo siguiente.

Papá se me queda mirando con los ojos como platos mientras describo lo que tengo pensado, y cuando llego a la parte en la que le explico su misión en todo el plan, suelta una serie de «vales» y «entendidos». Puede que padezca una especie de neurosis de guerra, pero por lo que puedo ver lo asimila todo.

—¿Este es el plan? —pregunta.

—Sí.

Me preparo para recibir críticas o, como mínimo, sugerencias. Papá sonríe y dice:

—Es muy bueno.

Le devuelvo la sonrisa.

—Gracias. Yo también lo creo.

Tiene una expresión extraña en la cara, como si se

dispusiera a decir algo importante, pero en lugar de eso mira por encima del hombro hacia la calle. Un mensajero en bicicleta pasa como una exhalación por nuestro lado.

—Más vale que te vayas —dice, señalando hacia el cruce.

Él se aleja en la dirección contraria.

En una rápida sucesión de movimientos, saco mi monopatín de la mochila, salgo disparado en cuanto toca el suelo y me cuelgo la mochila al hombro mientras patino. Me impulso con el pie de atrás y me deslizo, zigzagueando adelante y atrás para mantener el equilibrio. Al cabo de un minuto estoy al pie de la escalera. Hago saltar la tabla a mi mano y subo a la carrera hasta arriba. Es perfecto: el suelo es liso y no hay nadie.

Estoy circulando por el patio desierto, sintiendo la tabla bajo los pies y reuniendo valor, cuando veo un corto separador de cemento en la otra punta. Cojo velocidad y me lanzo directamente hacia él. Tengo confianza en mí mismo cuando hago un *ollie* al pie. Lo supero fácilmente y aterrizo sin problemas al otro lado.

Doy media vuelta y patino de vuelta hacia las escaleras. Dejo la tabla arriba y bajo corriendo hasta la mitad para poder observar la escena. Hay otros ciclistas en la calle, pero me parece distinguir a los tres en la siguiente manzana. Avanzan despacio en fila india, y cuando el semáforo se pone en rojo, se paran. Hasta ahora, bien.

En lo alto de las escaleras cojo mi tabla, salto sobre el borde, ejecuto un *grind* 50-50 hasta abajo y aterrizo perfectamente. Ahora veo claramente a papá mientras dobla la esquina justo delante de los ciclistas, todos ellos moviéndose deprisa. Vuelvo a subir corriendo las escaleras y me adentro en el patio para tomar un impulso generoso.

Y allá voy, patinando veloz hacia las escaleras, con el viento apartándome los cabellos del rostro. Corro como un rayo hacia ellos, concentrado solo en la cornisa de cemento que separa los peldaños de una arboleda. Me subo haciendo un *ollie*, equilibro las ruedas sobre el borde y bajo, deprisa, pero sin perder el control. Y aterrizo, flexionando las rodillas para amortiguar el golpe y obligando a la tabla a ejecutar un giro brusco antes de salir a la calle. Y es entonces cuando finjo mi accidente.

Dejo que la tabla se me escape de bajo los pies y me desplomo de golpe al suelo. Caigo sobre el hombro y lo extiendo como he hecho centenares de veces, pero me imagino que todo parece mucho más aparatoso para alguien que no sabe patinar. Añado un pequeño aspaviento para dar algo más de realce a mi actuación.

Me sujeto la pierna contra el pecho tendido en el suelo, gritando y retorciéndome de dolor. Y es entonces cuando papá llega a mi lado, vestido con su traje y con el aspecto de un transeúnte preocupado.

—¿Estás bien? —no deja de preguntar, a lo que yo respondo con más gritos y retorcimientos.

Coge su móvil y tengo que volverme para ocultar la sonrisa en mi cara. Nunca creí que convertiría un rehacimiento en un acto heroico, y desde luego jamás pensé que haría de papá mi secuaz.

Ahora el hombre se ha parado, baja de la bicicleta y apoya su peso sobre el bordillo. Sus dos hijas también se han detenido, esperando con curiosidad detrás de él y mirándome. Suelto un gemido agudo y vuelvo a revolcarme en el suelo.

Papá tiene que gritar para hacerse oír sobre el ruido del tráfico.

—Se me ha agotado la batería del móvil y este chico necesita ayuda. ¿Puede llamar al 911?

No puedo oír la respuesta del hombre, pero parece rebuscar en el bolsillo de sus vaqueros.

Seguramente esta brillante actuación callejera debería ser mi único objetivo, pero no soporto ignorar qué está pasando. Miro hacia la calle detrás de las niñas y veo la camioneta. Papá la está observando a su vez, y estoy seguro de que ninguno de los dos respira cuando cambia al carril más próximo a nosotros.

Me incorporo para ver mejor, ya sin importarme que me haya desenmascarado. A fin de cuentas, en una fracción de segundo nadie me mirará.

La camioneta acelera para pasar el semáforo y atraviesa el cruce, y segundos después se sale de la calle y sube al bordillo. Golpea lateralmente la boca de incendios, lo que provoca un surtidor de agua disparado al aire. El vehículo no deja de moverse hasta que impacta contra el lateral del edificio. Sale volando estuco en todas direcciones y del capó abierto empieza a salir humo.

Sé cómo aparecerá esta escena dentro de unas horas —recuerdo con claridad la foto de «después» del edificio: ventanas rotas, armazón a la vista, estuco esparcido sobre la acera—, pero cuando miro a la niña que tengo delante me acuerdo de la otra fotografía que acompañaba la noticia. Sigue montada sobre su bicicleta azul claro, intacta, estirando el cuello para ver qué ha ocurrido en la siguiente manzana. De repente, me sorprende mirándola. Desmonta, extiende el soporte de la bici de un puntapié y se me acerca.

Se agacha junto a mí.

—¿Está bien tu pierna? —pregunta.

—Sí, creo que está bien.

Sé que tengo un aspecto ridículo, sentado en medio de la acera y sonriendo como un bobo.

Entonces mi padre se sitúa a mi lado.

—Quédate aquí —me dice en voz alta y directa—. Iremos a ver cómo está el conductor.

La niña y yo nos quedamos mirando a nuestros padres mientras echan a correr hacia el escenario del accidente.

—Espero que no le haya pasado nada —dice ella.

—No te preocupes —respondo en un tono de voz que seguramente resulta demasiado entusiasta para esta situación—. Me da la impresión de que está bien.

22

Papá abre los ojos y mira alrededor de su despacho, como si viera las estanterías y los cuadros por primera vez.

—¿Lo hemos hecho? —Me suelta las manos y empieza a pasearse de un lado a otro delante de mí—. ¿Cómo sabremos si lo hemos cambiado o no?

Miro el reloj que hay sobre la puerta. Solo son las cuatro menos cuarto.

Cruza la estancia en tres grandes zancadas y se queda de pie detrás de su mesa, revolviendo papeles.

—¿Dónde está? ¿Dónde está la noticia que has traído aquí?

Mantengo la voz serena para contrarrestar la inquietud que percibo en la suya.

—No pasa nada, papá. Eso es que aún no ha ocurrido. —Señalo el reloj analógico que descansa sobre su mesa—. He bajado aquí y te he enseñado esa noticia hacia las siete y media. Todavía faltan cuatro horas.

Sus ojos siguen mi dedo, pero solo echa un rápido vistazo antes de volver a rebuscar entre los papeles de su mesa.

—Papá. Basta. —Pongo mi mano sobre una de las

suyas—. Miraremos las noticias esta noche, pero ahora seguramente no será un suceso. O, supongo, sí habrá un suceso, pero será completamente distinto. ¿Te encuentras bien? Estás pálido.

Busca a tientas su silla, se sienta pesadamente y la hace rodar hacia la mesa para poder apoyar la cabeza en sus manos. Puedo ver cómo le suben y le bajan los hombros con cada respiración pausada, pero, aparte del ataque de pánico, no parece dar muestras de ninguna reacción posterior al viaje.

Lo cual me hace caer en la cuenta de que también yo estoy bastante bien. El corazón me late deprisa, me noto el estómago ligero y solo tengo ganas de... moverme. Quiero salir afuera, volver a saltar sobre mi monopatín y bajar la colina a toda velocidad, sintiendo cómo el viento me eriza la piel y me aparta los cabellos de la frente. Me siento increíblemente bien —sin hemorragia nasal ni jaqueca—, animado, como si me vibrara todo el cuerpo lleno a rebosar de adrenalina.

Papá levanta la cabeza de golpe y empieza a teclear en su ordenador. Rodeo la mesa para situarme a su lado y veo cómo escribe todas las combinaciones posibles de palabras que puedan conducir a los hechos de hoy: «bicicleta», «accidente», «cruce» y «homicidio».

No lo entiende.

—Papá, aún no vas a encontrar nada. No aparecerá durante un rato. Papá... —Le aparto las manos del teclado—. Muy bien, lo comprobaremos esta noche, pero créeme, no estará. Ha funcionado. Todos están bien, excepto el chico que conducía la camioneta, que ahora mismo está algo conmocionado pero seguramente le detendrán por conducción temeraria y no por homicidio vehicular.

Antes de que pueda comprender qué ocurre, papá se

levanta, me atrae hacia sí y me abraza tan fuerte que no puedo respirar. Finalmente me suelta, pero sigue sujetándome el brazo. Se queda mirándome como si tratara de pensar qué decir, y por fin se decide.

—Era una gente muy maja, ¿verdad?

Suelto una risa nerviosa.

—Sí, papá, eran muy majos.

Pienso en aquella niña, preocupada por el estado del conductor que —en una versión de la cronología que ya no existe— dejó a su familia sin padre y le quitó la vida de golpe y porrazo a los nueve años.

—Más vale que vuelva con mis deberes —digo, haciendo un gesto en dirección a mi dormitorio—. Tengo un trabajo que volver a empezar.

Papá me da una fuerte palmadita en el brazo y se ríe entre dientes.

—Lo siento. Vaya mierda —dice.

—No pasa nada. También lo era el trabajo.

Mi mochila es mucho más ligera sin el monopatín. Cuando me la cargo a la espalda y reajusto las correas, echo una última ojeada al despertador de mi mesita de noche. No debería estar en Evanston hasta el baile de antiguos alumnos de este fin de semana, pero no puedo evitarlo. Tengo que ver a Anna ahora mismo. Tengo que contarle lo que acabo de hacer.

Cojo las llaves del coche de mi escritorio y salgo corriendo hacia el Jeep. Media hora después, lo meto marcha atrás en el garaje del otro lado de la ciudad. Apago el motor, bajo la puerta y cierro los ojos.

Los abro en el circuito de *cross* anexo a la pista de atletismo de Westlake. He llegado exactamente a donde pretendía un sitio tranquilo fuera del circuito detrás de una arboleda y de un arbusto grande que me oculta a las miradas. Dejo la mochila en el suelo y palpo su interior hasta que encuentro lo que ando buscando. Entonces me dirijo a hurtadillas hacia la pista, aguzando los oídos para percibir sus pisadas. No oigo nada.

No tardo mucho en dar con el lugar idóneo. Justo en medio del circuito diviso un tronco, grueso y situado intencionadamente para que lo salten. Coloco la postal en una grieta del tronco de tal modo que se mantenga derecha. Luego voy a esconderme.

La adrenalina todavía me corre por todo el cuerpo, y aunque sé que debería estar callado y quieto, no puedo dejar de pasearme arriba y abajo sobre la tierra. Espero, escucho y estoy que reviento de impaciencia. Por fin, al cabo de unos minutos, oigo el sonido rítmico de unos pies golpeteando el suelo, seguido de una respiración agitada y algún que otro gruñido. Me obligo a relajarme, recostando firmemente la espalda contra la corteza del árbol.

Entonces las pisadas cesan.

—Esto sobresalía del tronco —dice alguien.

—¿Qué es? —pregunta otro.

—Una postal. De París.

Aún no identifico a la persona que habla, pero me río por lo bajo cuando oigo la fascinación en su voz al pronunciar la palabra «París».

—Qué extraño.

Más pisadas.

—¿Qué pasa?

Ah, esa es la voz de Anna. Permanezco inmóvil, escuchando.

—No es nada. Vamos, estamos perdiendo tiempo —dice otra voz, y vuelvo a oír pisadas en el circuito.

—Toma, échale una ojeada. Había esto colocado en el tronco.

—Eh... —Me imagino a Anna cogiéndoselo a su compañera de equipo y girando la postal en sus manos—. Qué extraño. Vamos, Stacy tiene razón, deberíamos irnos.

Salen corriendo y todo queda en silencio hasta que vuelvo a oír pasos en el circuito, esta vez procedentes de la dirección opuesta. Las hojas crujen y las ramitas chasquean, y la cara de Anna se hace visible cuando salva la corta pendiente y asoma por detrás de un arbusto.

—¿Qué haces aquí? —pregunta, claramente sorprendida de verme—. Estoy en pleno entrenamiento.

Da zancadas largas, sonriendo mientras se me acerca. Le envuelvo la cintura con los brazos y la levanto del suelo.

—Eh, ¿qué estás haciendo? ¡Bájame! —Se ríe y me abofetea con la mano—. Estoy muy sudada.

—No me importa.

La estrecho con más fuerza y le planto un beso en el pelo. Había sido muy consciente de la oleada de adrenalina, pero ahora no la noto tanto. Siento un principio de jaqueca, pero hago caso omiso.

—¿Todo va bien? Estás temblando.

—Sí. Todo va bien. Tengo que contarte algo. —Me meso los cabellos—. No te vas a creer lo que acabo de hacer...

De repente, no sé por dónde empezar. Anna se me queda mirando, mostrándose confusa y curiosa y esperando a que continúe. Cada detalle de todo lo que ha ocurrido durante los últimos cuarenta y cinco minutos gira dentro de mi cabeza, volando demasiado deprisa para que pueda agarrar uno solo. ¿Realmente ha sucedido todo eso? Las bicicletas. El choque. La niña.

—No debías estar aquí hasta el viernes.

—Ya lo sé, pero...

Un leve zumbido en mi oído me hace parar a media

frase y, antes de que pueda decir otra palabra, cambia completamente de tono: ahora es agudo, punzante y seguido. Me sujeto los lados de la cabeza y me agacho en el suelo delante de Anna.

La oigo decir mi nombre, pero su voz suena lejana. Trato de quitarme las manos de la cabeza para poder equilibrarme sobre el suelo, pero soy incapaz de moverme. Noto que todo mi cuerpo se debilita, como si se me atrofiaran los músculos. Siento que se me doblan las rodillas y mi mejilla golpea contra el suelo.

Tengo los ojos tan abiertos que me escuecen y lloran, y noto piedrecitas y barro acumulándose debajo de mis uñas mientras trato de sentarme. Me desplomo al suelo y mi cabeza golpea contra algo parecido a una roca. Incapaz de controlarlos, mis ojos se cierran con fuerza. Y, de pronto, el sonido punzante desaparece y todo queda en silencio.

23

El dolor me asalta de repente, tan intensa e inesperadamente que ni siquiera tengo tiempo de agarrarme a algo que me sirva de apoyo. Mi cabeza cae hacia delante y mi rostro golpea contra el suelo, y cuando abro los ojos veo la sangre, encharcándose debajo de mi cabeza. Me quedo mirando el dibujo que sin duda alguna me sitúa en el despacho de papá.

No hay arbustos, ni árboles, ni Anna. Ni garaje, ni Jeep.

Me arrastro hacia la mesa auxiliar que hay junto a la silla de cuero de papá. Usándola de apoyo, intento ponerme en pie, pero mis rodillas no me sostienen y caigo de costado, sobre el lateral de la otomana. Noto que esta resbala bajo mi cuerpo y trato de agarrarme, pero es inútil. En unos segundos vuelvo a estar en el suelo hecho un ovillo.

Tengo el pecho de la camiseta empapado de sangre, y esto no hace más que empeorar. La siento gotear por mi labio superior, caliente y espesa, colándose en mi boca para que también la pruebe, metálica, asquerosa. Usando una esquina limpia de la camiseta, me llevo la mano a la nariz y aprieto con fuerza. Me incorporo otra vez y dejo caer la cabeza hacia atrás, hasta que noto el borde de la mesa clavándose incómodamente en mi nuca.

Cada vez que parpadeo, me siento los ojos ardiendo, y puedo notar el sudor perlándome la frente. La cabeza me palpita y tengo la sensación de que mi boca está llena de bolas de algodón.

Todo se vuelve oscuro.

—¡Bennett! —La voz suena lejana y apagada, irreconocible. Intento abrir los ojos, pero no ocurre nada—. Bennett. Despierta. Bebe esto.

—¿Anna?

No puedo ver nada, y cuando pronuncio las palabras «¿Dónde estoy?», las oigo salir mal articuladas e irreconocibles. Trato de abrir los ojos de nuevo y por fin veo una rendija de luz. Palpo el suelo bajo mi cuerpo en busca de pistas. Es blando. Como una moqueta.

—¿Anna? —vuelvo a preguntar.

—Bennett.

Una mano se posa sobre mi hombro. Mi cabeza se bambolea y envío toda mi energía hacia el cuello en un intento desesperado de inmovilizarla.

—¿Dónde estoy? —pruebo otra vez.

En esta ocasión mi voz suena más clara, pero sigo sin obtener respuesta.

La mano me aprieta el hombro con fuerza.

—Bébete esto, hijo.

Noto algo frío y fluido en mis labios, y antes de que pueda procesar siquiera lo que ocurre siento el líquido, gélido sobre mi lengua pero abrasándome la garganta cuando baja. Me encojo y aparto el vaso.

—Continúa —dice, y el vaso vuelve a mis labios.

Al principio tomo sorbitos, pero el agua me sienta tan

bien, es tan húmeda, que me inclino hacia ella, necesitando repentinamente más. Levanto el vaso y engullo grandes tragos hasta vaciarlo.

—Bien. Eso está mejor. —Abro los ojos. La cara de papá está llena de preocupación mientras su mano vuelve a posarse sobre mi hombro. Le oigo dejar el vaso sobre la mesa a mi lado—. ¿Crees que puedes levantarte?

Asiento débilmente y empleo toda mi energía en levantarme del suelo.

Esta hemorragia nasal no tiene nada que ver con la última. Esta vez tengo la camiseta empapada de sangre. Recuerdo la sensación, el sabor, y eso hace que me derrumbe de nuevo, aquejado de náuseas. Papá me sujeta por los dos hombros y me levanta otra vez.

—Voy a buscar más agua. Vuelvo enseguida.

Quiero pedirle que la traiga a temperatura ambiente, pero la puerta se cierra con un chasquido tras él antes de que pueda emitir las palabras. Me quedo mirando al techo y fijo la vista en una pequeña grieta en el yeso. No quiero cerrar los ojos, aunque me lloran, me arden y me suplican que los cierre.

Al cabo de unos minutos papá regresa a mi lado, me pone un vaso de agua en la mano y un trapo frío sobre la frente. Abre mi otra mano, con la palma hacia arriba, y coloca en ella tres pastillas. Niego débilmente con la cabeza.

—Solo son Advil —dice—. Tómalas. Te sentarán bien.

Me dispongo a decirle que la jaqueca es normal. Que siempre se pasa sola y lo único que necesito es agua, café y veinte minutos de descanso. Pero se me antoja que esta jaqueca es distinta a las demás, y que lo que sé que ocurre «siempre» muy probablemente no es aplicable a esta situación. Me meto las pastillas en la boca y me las trago con agua mientras papá me observa. Me termino el agua en un par de tragos.

Aún me tiemblan las manos, así que cierro los puños a los costados.

—Iré a buscarte una camiseta limpia —dice él, encaminándose hacia la puerta.

—Papá.

Vuelvo a mirar la grieta del techo, pero en mi visión periférica le veo detenerse.

—¿Puedes quedarte aquí, por favor? —pregunto, y antes de darme cuenta ha regresado a mi lado, sentado en la otomana, observándome.

Nos quedamos así un buen rato, sin que ninguno de los dos hable.

—¿Estás dispuesto a decirme dónde has estado? —pregunta.

Me froto las sienes con los nudillos y miro hacia el otro lado de la habitación, al reloj colgado en la pared detrás de su mesa. Entrecierro los ojos mientras trato de leerlo, pero las manecillas no dejan de enfocarse y desenfocarse.

—¿Dónde he estado? —pregunto, obligándome a repasar todo lo que acaba de suceder.

Estábamos esperando a ver la crónica del accidente, para comprobar si era distinta de la primera que imprimí para él. Entonces fui a ver a Anna, todo se volvió oscuro y cuando abrí los ojos estaba ensangrentado en el suelo y papá se encontraba a mi lado con un vaso de agua.

—¿Qué hora es?

Mi voz aún suena débil y áspera. Me rasco la garganta.

Aunque el reloj de pared está bien a la vista, papá consulta su reloj de pulsera.

—Son poco más de las dos. Bennett, necesito saber dónde has estado.

—¿Más de las dos? —repito, haciendo caso omiso de su pregunta.

Me froto las sienes con más fuerza. Eso no cuadra en absoluto. Debían de ser las cuatro cuando me fui a ver a Anna.

De repente todo encaja y empiezo a comprender qué ocurre. He salido rebotado. Con fuerza.

Se me acelera el corazón cuando lo reconstruyo dentro de mi cabeza. La noticia que he imprimido y he bajado para enseñársela a papá decía que el accidente ocurrió hacia las tres y media. Todavía no lo hemos repetido.

Ahora estoy totalmente consciente, con los ojos como platos mientras mi cabeza gira en la dirección de papá. Mi movimiento brusco le sobresalta y retrocede, pero ni siquiera intento ocultar el miedo en mi voz.

—Por favor, dime que lo hemos impedido. Lo hemos impedido, ¿verdad?

Parece desconcertado.

—¿Impedir qué? —pregunta papá, y empiezan a temblarme las manos en el acto—. Bennett, quiero saber dónde has estado.

—¿Las bicis?

Me sale en forma de pregunta. Vuelvo a apretar los puños a los costados.

—¿Las bicis?

Puedo percibir la confusión en su voz. No sabe de qué estoy hablando. No lo hemos impedido. He salido rebotado y después de todo no lo hemos hecho. Me cubro el rostro con las manos.

—Papá —digo sin levantar la vista—. Ha habido un accidente con esas bicis y hemos vuelto... He llevado mi monopatín, he provocado una distracción y tú me has ayudado. Esa niña...

Me atraganto con la última palabra.

—Ya lo sé —responde, como si ahora estuviera inquieto por mi estado mental además del físico—. Está bien. Todos están bien. Como tú has dicho que estarían.

Me aparto las manos de la cara y le miro fijamente.

—¿Qué? ¿Estás seguro?

—Del todo. Esperaba que volvieras a casa para poder enseñarte el artículo. —Parece muy convencido, pero sigo mirándole de todos modos, como si esperara que cambiara de opinión—. La crónica decía exactamente lo que tú creías. Un chico chocó con su camioneta contra un edificio. No se mencionaba para nada una familia de ciclistas.

Se acuerda. Si se acuerda, ha sucedido. No lo he borrado. Nada de esto tiene sentido, pero aun así una amplia sonrisa se extiende por mi rostro, y cuando lo hace me noto la cara tensa, como si se agrietara. Me rasco la piel y aparto el dedo. La uña está recubierta de sangre seca, pero no me importa. Suelto una carcajada.

—Bennett, eso fue ayer.

Me detengo a media carcajada y la sonrisa desaparece.

—¿Qué?

Papá asiente con la cabeza. Ahora me mira como si hubiera perdido el juicio.

—¿Ayer? No..., eso no puede ser cierto.

Me encontraba en mi habitación. Estaba con Anna.

—Bennett, es la tarde del jueves. —Acerca la otomana un poco más hacia mí y parece elegir las palabras con cuidado—. Tu madre y yo hemos estado muy preocupados. Saliste de mi despacho, dijiste que ibas arriba a hacer un trabajo, y cuando tu madre fue a llamarte para la cena, habías desaparecido. No has venido a casa en toda la noche. Hace una hora te he encontrado aquí, en el suelo.

Pienso en el día. Ni siquiera me atrevo a pronunciarlo en voz alta. ¿Jueves?

—Hijo. —Papá alarga la palabra con voz lenta y amable, como si necesitara más tiempo que de costumbre para procesar lo que se dispone a decir—. El accidente ocurrió ayer. ¿Recuerdas qué sucedió cuando llegamos a casa?

Lo intento. Recuerdo haber regresado del rehacimiento y dejar su despacho. Subí a mi habitación, cogí una postal del cajón de mi escritorio y la metí en la mochila. Cerré los ojos y fui al circuito de *cross* de Westlake. Me escondí cerca de la pista, escuchando a Anna y a sus compañeras de equipo mientras hacían especulaciones sobre la misteriosa postal. Me encontró poco después y hablamos. Me sentía estupendamente hasta que un sonido punzante me hizo caer de bruces al suelo. Y entonces estaba de vuelta aquí, en el despacho de papá. Todo ha ocurrido hace quince minutos, veinte como mucho.

Pero no era veinte minutos atrás. Era ayer.

—Necesito saber dónde has estado, Bennett. Tienes que decirme la verdad. ¿Por qué no has vuelto a casa en toda la noche?

Le miro a los ojos.

—Papá, sinceramente no lo sé.

Me mira como si no lo creyera y suelta un suspiro para dejarlo todavía más claro.

—No me mientas, Bennett. ¿Cómo es posible que no sepas dónde has estado durante las últimas veintidós horas?

¿Veintidós horas? Me quedo boquiabierto y le miro con los ojos como platos, negando con la cabeza. No lo sé. Realmente, verdaderamente y con toda sinceridad no tengo ni idea de dónde he estado.

Esta vez papá debe de saber por la expresión de mi cara que estoy diciendo la verdad.

—Realmente no lo sabes, ¿eh?

Muevo la cabeza más enérgicamente, me llevo las piernas al pecho y oculto la cara en las rodillas. Esto no puede estar sucediendo.

—¿Qué ha pasado durante mi ausencia? —pregunto sin levantar la mirada.

Vacila antes de hablar, como si sopesara cuidadosamente sus palabras.

—Se lo conté todo a tu madre —dice en voz baja, y levanto la cabeza de golpe—. Cuando no habías vuelto a medianoche...

Deja la frase inacabada. Vuelvo a bajar la cabeza sobre las rodillas.

—¿Qué es lo último que recuerdas?

Miento.

—Estaba sentado en mi habitación, haciendo el trabajo.

—¿Y luego?

Lo pienso por un momento y decido seguir mintiendo.

—Y luego trataba de levantarme de la moqueta de tu despacho.

Tengo que regresar con Anna y decirle que todo va bien. La dejé de pie en el bosque, viendo cómo me iba. Le prometí que no volvería a marcharme así. Y entonces se me ocurre. ¿Y si no me he marchado? ¿Y si he estado allí durante las últimas veintidós horas y no me acuerdo?

—Mira, el otro día hiciste algo estupendo. Deberías sentirte orgulloso.

—¿Pero? —inquiero.

—Pero esto es peligroso. —Señala las manchas de sangre que impregnan la alfombra—. Bennett, eres un chico listo y ya lo sabes, pero creo que tengo que decirlo de todos modos. Ya está. —Acerca todavía más la otomana hacia mí—. Lo que te está pasando ahora mismo es debido al viaje. Lo sabes, ¿verdad?

Me quedo mirándole sin comprender.

—Tu madre siempre ha tenido razón. Esto es demasiado peligroso.

Inhalo despacio, procesando sus palabras. Mamá no es la única que tiene razón... Yo también. Siempre he sabido que no debería cambiar las cosas. Las segundas oportunidades no existen, aunque se merezcan.

Me sentí bien después de lo de Emma. Incluso después del incendio. Tuve la hemorragia nasal tras volver de Evanston la última vez, pero no creí que tuviera ninguna relación. Ahora no puedo explicarme veintidós horas de mi vida y estoy cubierto de sangre; es bastante evidente que todo está relacionado. Puedo usar mi talento para hacer el bien, pero no sin pagar un precio.

—¿Dónde está mamá? —pregunto.

—Durmiendo. Ha estado levantada toda la noche. Finalmente la he convencido de que descansara un poco. Se alegrará al verte en casa sano y salvo. —Papá se levanta y se sacude una mota de polvo imaginaria de los pantalones—. Está muy enfadada conmigo. Cree que yo te obligué a hacerlo.

—¿Por qué cree eso?

Se encoge de hombros.

—Porque yo se lo dije. Además, es culpa mía. Puede que fuera idea tuya, pero fui yo quien te indujo a hacerlo.

—No, no lo hiciste —replico, pero no sirve de nada.

Papá se queda mirando al otro lado de la estancia con una expresión desanimada del todo.

—¿Papá? —Vuelve a mirarme. Pienso en mi *grind* 50-50 escaleras abajo y en cómo fingí caerme al final. Me imagino la expresión en la cara de aquella niña. Recuerdo cómo me abrazó papá cuando todo terminó—. Fue muy divertido.

—Fue increíble, ¿verdad? —Y ahí está la expresión que vi en su cara cuando regresamos. Parece triunfal y orgulloso, y noto un vacío en mi interior cuando me pregunto si es la última vez que veré esa expresión—. De hecho, estaba entusiasmado por volver a hacerlo, pero... oh, bueno. —Sacude la cabeza y posa su mano sobre mi rodilla—. Gracias por llevarme. —Me da un golpecito de consuelo en la pierna y luego, para hacer algo, extiende un brazo delante de mí y recoge el vaso de la mesa—. Voy a buscar más agua. Vuelvo enseguida.

Tan pronto como sale de la habitación, me levanto. Aún me noto las piernas flojas y débiles, y me agarro al lateral de la silla para equilibrarme. Justo cuando me dirijo hacia la puerta, el resplandor del monitor me llama la atención, y siento el impulso de ver esa noticia por mí mismo.

Me acerco cojeando a la mesa, me siento en la silla de cuero y cojo el ratón. Me dispongo a abrir una nueva ventana de navegador, pero no tengo necesidad porque ya hay una en la pantalla. Es una crónica de esta mañana, sobre un chico de la ciudad que ha sido visto por última vez en la parada del autobús, pero no ha llegado nunca a la escuela.

Papá no exageraba cuando ha dicho que esperaba con impaciencia nuestro próximo rehacimiento.

Ya lo ha encontrado.

24

Estoy en mitad de la escalera cuando mamá me ve desde el rellano de arriba. Empieza a bajar los escalones corriendo y me agarro a la barandilla.

—Estás en casa... ¿Qué te ha pasado?

Parpadea deprisa, como si se esforzara por fijar la mirada.

—Estoy bien.

—¡No estás bien, Bennett!

Sus ojos bajan de mi cara a mis vaqueros antes de volver a subir.

—Solo ha sido una hemorragia nasal.

Me quedo mirando mi camiseta.

—¿Eso es una hemorragia nasal? —Frunce los labios y le tiembla la barbilla—. ¿Dónde has estado toda la noche? Por favor, cuéntame qué te ha ocurrido.

Me mira con ojos vidriosos, y puedo entender lo dolida que está. Hay muchas cosas que me gustaría decirle, pero ahora estoy tan preocupado que ni siquiera sé por dónde empezar. Cuando mis ojos encuentran los suyos, me siento como un niño de cinco años que acaba de caerse de la estructura de juegos y necesita consuelo y mimos. Si se lo contara todo, apuesto que me lo daría.

—¿Dónde has estado? —pregunta en voz baja.

—No lo sé, mamá.

Se me quiebra la voz cuando lo digo, y respiro hondo. Sé por la expresión de su cara que me cree. Pero también me percato de que no basta. Si quiero llegar hasta el final de esa escalera, tendrá que ocurrírseme algo mejor.

Mamá pone su mano sobre la mía, animándome a decir más.

—Me he despertado así en el despacho de papá.

Me aparto la camiseta del cuerpo y sacudo la cabeza. Entonces bajo la vista hacia la barandilla, sin decidirme a irme, eligiendo mis siguientes palabras con cuidado. En realidad no he hablado nunca con mi madre de lo que puedo hacer. Siempre lo hemos esquivado. Pero ahora no existe ningún modo de abordarlo que no sea directamente.

—Papá te ha contado lo que hicimos, ¿verdad? —Mamá asiente—. Debo de haber perdido el conocimiento después.

Cruza los brazos. Del cuello hacia abajo parece enfadada, pero su rostro la delata.

—¿Todo ese tiempo? —dice, y mueve la cabeza como si no pueda creerse que haga una pregunta tan ridícula.

Me encojo de hombros, tratando de aparentar calma, como si no pasara nada. Pero noto que se me contrae el rostro, desenmascarándome. La miro directamente a los ojos.

—Sinceramente, no sé dónde he estado.

La expresión de mamá adopta esa extraña mezcla de compasión y alarma.

El instinto de lucha o de huida se apodera de mí y me hace aferrar el pasamanos con más fuerza y despegarme la camiseta del cuerpo otra vez.

—Por favor, ¿podemos hablar de esto más tarde? Me gustaría lavarme.

Sin aguardar su respuesta, le planto un beso en la mejilla y paso apresuradamente por su lado.

—¿Necesitas algo? —me grita a mi espalda.

Sí. Necesito poder estar en dos sitios a la vez. Necesito no echar de menos a nadie y necesito que nadie me eche de menos.

—No, gracias —contesto al doblar la esquina.

En el cuarto de baño procedo rápidamente a lavarme la sangre de la cara con jabón y agua caliente. Me paso un peine por el pelo, pero cuando he terminado sigue teniendo un aspecto grasiento y fibroso. Me quito la camiseta por la cabeza y la tiro a la papelera. Es una de mis favoritas, pero ahora confío en no volver a verla nunca más.

Cierro la puerta de mi dormitorio y echo la llave. Me pesan los párpados, y aunque experimento la fuerza gravitatoria que proviene de mi cama, no le hago caso. Después de todo lo ocurrido, me doy cuenta de que es lo más estúpido que podría hacer y que el número de cosas que podrían ir mal es prácticamente infinito. Pero tengo que volver a ver a Anna. Solo unos minutos. Solo el tiempo suficiente para decirle que estoy bien y para averiguar si mi versión de lo que sucedió en el circuito de *cross* coincide con la suya. Entonces podré dormir.

Me noto los vaqueros como si los tuviera adheridos a la piel. Me los quito, los tiro al cesto y rebusco en mis cajones hasta dar con mi pantalón de chándal favorito y una sudadera con capucha Cal Bears. Me cambio de calcetines y me pongo los zapatos. Me escuecen los ojos y empiezan a llorar, pero me los seco con el dorso de la mano.

Mi mochila está llena y casi estoy listo para irme. Me dirijo a la mininevera del armario, cojo un Red Bull y busco debajo de la cama un par de botellas de agua a temperatura ambiente. Luego lo dejo todo en la mesilla de noche para tenerlo a mano cuando regrese.

Estoy de pie en el centro de mi habitación, a punto de cerrar los ojos, cuando llaman a la puerta. Maldigo entre dientes y arrojo mi mochila al rincón.

—Adelante —digo, una vez acostado en la cama como si me dispusiera a echar una cabezadita.

El pomo gira y chasquea unas cuantas veces.

—Está cerrada —grita mamá desde el otro lado, y me siento las piernas como de plomo cuando cruzo la estancia para abrir la puerta—. ¿Puedo entrar?

No. Estoy a punto de irme. Tengo que marcharme. Pero retrocedo unos pasos y le abro la puerta. Entra y se dirige hacia la ventana en la esquina que da a la bahía. Pasa los dedos por la moldura y luego cruza los brazos, de espaldas a mí.

—Recuerdo el día que nos mudamos a esta casa.

—Mamá —digo—. Estoy muy cansado.

Me cubro los ojos con la mano. ¿Tenemos que hacer esto ahora?

Mamá prosigue como si no me hubiera oído.

—Tú y tu padre veníais en el camión de las mudanzas mientras yo deambulaba de habitación en habitación, tratando de adivinar cuáles elegiríais tú y Brooke. Estaba aquí, admirando esta vista, cuando Brooke entró y dijo que era esta la que quería. Pero la convencí de que se quedara con la otra.

—¿Por qué? —pregunto.

—Esta era la más bonita de las dos. Tenía esta vista y creía que debía ser tuya. A fin de cuentas, fuiste tú quien nos trajo a esta casa. —Se vuelve a mirarme—. Di mucho la vara a tu padre sobre lo que hicisteis los dos...

—Solo compramos unas cuantas acciones.

Fue más que eso, pero no me apetece hablar de ello con mamá ahora. Ya he pasado por esto antes, discutiendo sobre los matices de manipular el mercado y comprar acciones basándose en una información que ninguno de nosotros debería haber tenido o podido utilizar. Pero la última vez que lo consulté, las leyes sobre información privilegiada no decían nada acerca de viajes en el tiempo.

—No voy a pedirte que justifiques lo que hiciste, Bennett. Aunque me pareció que estaba mal, entiendo el motivo.

No digo nada.

—Lo hiciste para hacernos felices. Para dar a tu familia una vida mejor.

—Sí.

—Y seguramente para que tu padre te dejara en paz.

Sonríe. Le devuelvo la sonrisa.

—Sí, eso quizá también.

Me dirige una mirada elocuente y cobra ánimo, como si se dispusiera a decir algo importante.

—Siempre agradeceré lo que hiciste por nuestra familia, Bennett, pero quiero que sepas una cosa. —Se me acerca unos pasos, pero fuera de mi alcance—. No tenías que hacer esto.

Baja los brazos a los costados y pasea los ojos por la habitación.

Le lanzo una mirada escéptica y niega con la cabeza.

—No me interpretes mal, agradezco todo esto... Lo admito, no puedo resistirme a las cosas buenas de la vida, y la vida ha resultado mucho más fácil con... bueno, todo lo que tenemos. Pero no lo necesito.

Parece resuelta, pero no puedo evitar levantar una ceja.

—Hablo en serio. A tu padre no le gustaba su trabajo, y a mí no me gustaba vivir en ese apartamento minúsculo en un barrio inseguro. Y sí, íbamos mal de dinero y luchamos mucho por eso. Pero ¿sabes una cosa?

Niego con la cabeza.

—Tu padre y yo nos queremos, y os queremos a ti y a Brooke más de lo que os podéis llegar a imaginar. Esta familia habría estado bien sin todo esto.

Debe de ver un atisbo de incredulidad en mis ojos, porque añade la coletilla «de veras» y me mira muy seria para demostrar su convicción.

Aún debo de parecer dubitativo. He visto cómo cuida de su coche y de su ropa de diseño.

—¿Renunciarías a todo esto? —pregunto, señalando sus perlas.

—Desde luego. De hecho, estaría bien librarse del remordimiento.

La miro a los ojos y compruebo que lo dice en serio.

—Papá me contó lo que hicisteis los dos por esa familia ayer. Y me habló del incendio... —Deja la frase inacabada. Entonces avanza tres pasos y me envuelve en sus brazos—. Espero que no te convenciera de...

La interrumpo a media frase.

—No me convenció de nada, mamá. Lo juro. Fue exclusivamente idea mía. —Noto cómo se me enciende el rostro—. Ojalá dejaras de preocuparte y entendieras que tengo esto bajo control.

—¿Es así?

Mamá me lanza una mirada de soslayo. Tiene razón y lo sabe. Hace dos días habría podido decir estas palabras y creérmelas, pero hoy... bueno, no tanto.

—Mira... me encanta lo que hiciste por esos niños, Bennett, de veras. Pero tú eres mi hijo, y sé que es egoísta, pero no quiero que arriesgues tu seguridad por la de nadie.

Sacudo la cabeza.

—Vamos... Esto no tiene nada que ver con mi seguridad.

—Claro que sí. He pasado demasiadas noches preguntándome dónde están mis hijos, Bennett. Se trata de que estés aquí, en este lugar, viviendo como una persona normal.

Sabía que tarde o temprano la palabra «normal» saldría de su boca. Sin siquiera pensarlo, me oigo decir:

—Mamá. Voy a volver a ver a Maggie.

Se queda boquiabierta. Me dirijo al escritorio y cojo la foto de mi abuela y yo.

—Te dije que esta foto fue tomada cuando estaba viviendo con ella hace unos meses, en 1995, pero no era cierto. No tenía este aspecto en 1995. Fue tomada en 2003, justo antes de que se muriera.

Le tiemblan las manos cuando me coge el marco.

—Llevo años yendo allí. Cuido de ella.

Mamá busca algo a lo que agarrarse, pero no hay nada a la vista, así que retrocede dos pasos y se sienta en el borde de la cama.

—¿Vuelves?

Le tiembla el labio al preguntarlo, y cuando asiento con la cabeza, se tapa la boca con la mano.

—Continuamente —digo.

Mamá se queda en mi cama mirando la foto, y mientras la observo me doy cuenta de que ahora sería el momento idóneo para hablarle también de Anna. Lo único que debo hacer es coger el álbum del fondo del cajón, decir algo sencillo como «También voy a verla a ella. Esta es Anna», y empezar a pasar páginas. Entonces lo entendería. No tendría más remedio.

Pero antes de que pueda moverme, mamá me mira, con los ojos anegados de lágrimas, y acaricia el colchón que tiene al lado.

—Háblame de ella —pide, refiriéndose a mi abuela, no a mi novia.

Y en vez de dirigirme a mi escritorio, me siento junto

a mi madre y se lo cuento todo, desde las flores que Brooke plantó en el jardín de Maggie y las facturas que pagamos hasta los detalles de la habitación en la que me alojo cuando voy a verla. Las lágrimas le resbalan por las mejillas, pero aún no lo ha oído todo.

Le pido que me explique qué pasó entre ellas dos.

—Nuestras riñas eran sobre cosas sin importancia, y sinceramente no sé por qué dejé que durara tanto tiempo —dice. Le tiembla todo el cuerpo mientras las lágrimas caen aún más deprisa—. Permití que unas desavenencias estúpidas me alejaran de mi madre y le impidieran conocer a mis hijos... —Respira hondo—. Y estaba sola cuando...

No puede terminar la frase, pero no tiene necesidad de hacerlo.

Me acerco y cierro el hueco que nos separa.

—No estaba sola —digo en voz baja.

Mamá levanta los ojos hacia mí. Le cuento que Brooke y yo regresamos al día en que Maggie murió, que le dimos la mano mientras la veíamos irse. Brooke llamó al 911 y desaparecimos tan pronto como llegaron las asistencias.

Me abraza con fuerza y me relajo en sus brazos, aliviado por haberlo soltado todo por fin. Trato de pensar en un modo de hablarle también de Anna, porque estaría bien confesarme del todo, pero este no parece el momento oportuno.

—Gracias —dice mientras me frota la espalda.

Entonces mamá se reclina y se levanta. Se limpia las manos en los pantalones y se arregla la blusa, mirando a su alrededor como si las paredes se fueran acercando y necesitara huir. Me da un rápido beso en la mejilla, me dice que me quiere y me mira a los ojos.

—Hazme un favor, ¿quieres? —dice, con una voz algo más firme—. No viajes durante algún tiempo. Tengo que pensar en todo esto, ¿vale? Por ahora, necesito saber que estás aquí sano y salvo. ¿Lo harás, por favor?

Sin esperar respuesta, añade:

—Debería dejarte descansar. —Está a punto de irse cuando se detiene y se vuelve—. Ah, y llama a Brooke, por favor. —Mira hacia mi escritorio, como si esperara encontrar mi móvil donde suele estar—. Está preocupada.

El pestillo emite un chasquido cuando cierra la puerta a su espalda.

Miro la puerta, pensando en la petición de mi madre y deseando poder respetarla. Miro mi cama, deseando poder acostarme y dormir durante las diez horas siguientes. Miro por la ventana, confiando en que el Jeep esté aún en el garaje y que mi teléfono siga en la guantera, y deseando poder llamar a Brooke y contárselo todo. Los riesgos son enormes. Pero el impulso de ver a Anna —para decirle que estoy bien y dejarla ayudarme a atar todos los cabos de lo que sucedió ayer— es más fuerte que todo lo demás.

Una vez he sacado la mochila de debajo de la cama y me la he colocado de nuevo, me planto en el centro de la habitación y dejo que mis ojos se cierren. Estoy tentado a imaginarme la pista de *cross* y volver a llegar allí, solo un minuto o dos después de cuando calculo que salí rebotado, pero aún me preocupa borrar el accidente de las bicis. Así pues, concentro la mente en ayer, un poco antes de medianoche. Me imagino la habitación de Anna. Visualizo el despertador de su mesilla de noche. Me dejo ir. Segundos después, abro los ojos.

Espero ver sus estantes repletos de trofeos y CD, pero en lugar de eso mis ojos se abren delante de mi aburrida habitación blanca. Los cierro y vuelvo a intentarlo. Cuando los abro, sigo allí donde estaba.

Esto no puede estar sucediendo.

Es como la última vez, cuando Anna salió rebotada de mi dormitorio y yo me quedé atrapado, incapaz de abandonar esta habitación. Quizá mi cerebro esté simplemente demasiado agotado. Quizá necesite algo de ayuda. Me quedo donde estoy, girando 360 grados en busca de cualquier cosa que me ayude a visualizar el lugar al que quiero ir.

El álbum de fotos aún está enterrado en el fondo del cajón, pero lo saco y lo abro por la última foto, la de Anna y yo tendidos sobre la alfombra de su dormitorio. Tiene el brazo extendido en el aire y ambos sonreímos. Pongo la punta del dedo sobre el plástico y cierro los ojos. Es ahí donde tengo que estar.

Cierro los ojos. Los abro. Una y otra vez.

Al cabo de seis intentos más, me dejo caer al suelo junto a mi cama, sintiéndome mareado y agotado. Cuando me quiero dar cuenta, me despierto y el sol de la mañana entra a raudales sobre mí.

25

No tengo ni idea de qué está ocurriendo allí donde se encuentra Anna. Lo único que sé es lo que está ocurriendo aquí. Los días siguen empezando y terminando y he pasado cuatro de ellos tratando desesperadamente de regresar al día en que dejé a Anna en el bosque. Cierro los ojos, los abro, repito las mismas acciones una y otra vez y espero un resultado distinto. Creo que fue Einstein quien definió así la locura.

Han transcurrido tres semanas y cuatro días desde la fiesta de cumpleaños de Emma, lo que significa que el fin de semana del baile de antiguos alumnos ya ha pasado. Aún peor, he dejado a Anna exactamente como la dejé la última vez: sola, sin previo aviso. Justo como juré que no volvería a hacer.

Mamá me deja saltarme la escuela el viernes y también el lunes, pero el martes insiste en que parezco estar bien y ser perfectamente capaz de aguantar un día de aprendizaje. Así que me obligo a dejar el aparcamiento y me encamino directamente a Civilizaciones del mundo. No soy el primero en llegar al aula, pero por lo menos no soy el último.

Saco mi libreta y un bolígrafo de la mochila y me

pongo a hacer garabatos mientras espero que suene el timbre.

—Hola, forastero. —Miro a mi izquierda y veo a Megan ocupando su asiento—. Bienvenido.

—Gracias.

Le sonrío y sigo dibujando.

Cosa de un minuto después, se inclina a través del pasillo.

—Ayer te perdiste el examen de mitad del trimestre. Entraba todo el material que hemos dado hasta ahora. —Dejo de dibujar y la miro—. Fue bastante difícil, pero... —Se encoge de hombros—. Creo que me fue bien. De todos modos, si quieres que te preste mis apuntes...

La señora McGibney entra, balanceando su maletín al costado, y me mira fijamente.

—Señor Cooper —dice con voz apagada.

Deja caer el maletín junto a su mesa, que aterriza con un ruido sordo. Empieza a escribir el programa del día en la pizarra, pero sé que todavía me está hablando cuando dice:

—Ayer se perdió un examen. Puede venir a hacerlo a la hora de comer.

Echo una mirada furtiva a Megan cuando hace una mueca.

—¿Hoy? —pregunto.

—Sí, señor. Hoy sería perfecto. —Aparta los ojos de la pizarra para mirarme por encima del hombro—. No se preocupe, puede traer su almuerzo.

Y vuelve a escribir.

—Esperaba disponer de un par de días para repasar.

—Anuncié este examen el pasado miércoles, señor Cooper. Según mis papeles, usted estaba aquí el pasado miércoles. A juzgar por las notas, todos los alumnos de esta clase se han pasado los últimos días «repasando». Si usted no lo ha hecho, no es mi problema.

—Pero estaba enfermo.

Sigue escribiendo.

—Le ofrezco hacer el examen hoy a la hora de comer. De otro modo, no sería justo para el resto de la clase. —Termina el programa, acerca el marcador a la pizarra y subraya la última línea—. ¿Le parece bien?

Se vuelve a mirarme.

No importa. Hoy o la semana que viene, probablemente la nota que obtenga en ese examen será la misma. Asiento con la cabeza.

—Estupendo. Le veré entonces.

Me paso los cuarenta y cinco minutos siguientes empollando. Cada vez que McGibney vuelve la espalda, repaso mi libreta tratando desesperadamente de memorizar todas las cosas que he aprendido sobre civilizaciones del mundo desde que empezó la escuela. Los apuntes son bastante detallados en algunas partes, pero, sinceramente, no recuerdo haber tomado muchos de ellos. En otras partes, encuentro páginas y más páginas sin nada más que garabatos. Por lo visto, hace unas semanas dediqué una clase entera a buscar un nombre para mi garaje.

Suena el timbre y todo el mundo se levanta de sus asientos y se encamina hacia la puerta. Cuando enfilo el pasillo hacia mi próxima clase, veo a Megan apoyada contra el banco de las taquillas, sonriendo y esperándome visiblemente.

—Tío, ha sido muy dura —dice en cuanto puedo oírla.

—Recuérdame que no vuelva a ponerme enfermo.

Sonríe.

—Toma.

Introduce la mano en su bolsa y me tiende una libreta blanca y negra. La tapa está combada y las hojas están raídas, y cuando la giro en mis manos compruebo que parece mucho más estropeada que la mía, como si, de hecho, hubiera estado utilizándola para tomar apuntes en clase con el fin de estudiarlos después.

—¿De veras?

—Claro. —Cierra la bolsa y vuelve a colgarse la correa al hombro—. Quizá puedas saltarte las tres próximas clases e ir a estudiar a la biblioteca.

En circunstancias normales, eso es exactamente lo que haría. Y después de acabar de empollar, regresaría al principio del día para repetirlo. La segunda vez estaría preparado tanto para el examen como para la pregunta de McGibney. Cuando Megan no mirara, volvería a meterle la libreta en la bolsa antes de que se percatara de su ausencia. Esta conversación no habría tenido lugar, y Megan jamás sabría que había una versión de los hechos que he borrado, en la que estaba de pie en el pasillo ofreciéndose a prestarme sus apuntes.

Pero estas no son circunstancias normales. No sé si podría retroceder cuatro horas aunque quisiera. Si tuviera la capacidad de viajar de nuevo, desde luego no estaría aquí en la escuela, preocupándome por un examen. Estaría con Anna.

—Gracias —digo. Me guardo la libreta en la mochila y empiezo a pensar en pretextos para saltarme las tres clases siguientes—. Eres muy amable.

—Ningún problema. —Se queda allí de pie, mirándome como si tuviera algo más que decir—. Bueno, más vale que vaya a clase. Buena suerte.

Antes de que pueda responder, gira sobre sus talones y se aleja. Yo giro sobre los míos y me encamino hacia la biblioteca.

Llevo sentado a la misma mesa, con los ojos puestos en la misma página y procurando no mirar por la misma ventana, más de una hora. Los apuntes de Megan son claros y detallados, pero las palabras parecen abandonar mi cerebro más deprisa de como puedo hacerlas entrar.

Hago girar el lápiz entre mis dedos, pensando en Anna y en las últimas palabras que le oí decir: «No deberías estar aquí hasta el viernes.»

Pero no puedo volver al viernes. Y no puedo volver al miércoles ni tampoco al jueves. Cada vez que lo intento, abro los ojos en el sitio exacto en que los he cerrado. Y de repente caigo en la cuenta. He estado tratando de volver antes del baile de antiguos alumnos para no dejar colgada a Anna. Pero ¿y si me he esforzado demasiado por regresar a un momento concreto cuando debería limitarme a intentar regresar?

Cojo mi móvil pero dejo el resto de mi material sobre la mesa y me dirijo a una cabina con ordenador. Consulto un calendario de 1995 y localizo el mes de octubre. Abro el calendario de mi teléfono por la fecha de hoy y sostengo el móvil al lado de la pantalla. Los calendarios son casi idénticos, con solo un día de diferencia. En 2012 es martes. En 1995 es lunes.

Voy directamente al lavabo de caballeros y me encierro en un retrete. Dejo mi móvil sobre la cisterna y cierro los ojos. Vuelvo a pensar en el trazado de la Westlake Academy, tratando de recordar los sitios tranquilos que encontraba para esconderme cada vez que tenía la sensación de que estaba a punto de salir rebotado hacia San Francisco.

Justo al lado de nuestro edificio de Español había un camino muy poco transitado, obstruido por hierbajos y matorrales. Llevé a Anna allí en una ocasión, el día que nos saltamos la clase y le conté la última parte de mi secreto.

No tengo ni idea de si esto funcionará, pero cierro los ojos, murmuro las palabras «por favor» y me imagino el lugar.

Me escuece la piel por la fuerte bajada de la temperatura e inhalo el aire fresco que no podría existir en una simple habitación. Tan pronto como abro los ojos, recorren el campo desierto y suelto una interjección de asombro. Realmente estoy aquí.

Me llevo las manos a los costados de la cara y miro a través de las puertas de vidrio. Está tranquilo, y si bien he aterrizado allí donde pretendía, aún no sé si he aterrizado cuando pretendía. Giro el pomo de la puerta y se abre. Por lo menos es un día de escuela.

El pasillo está vacío. Miro alrededor en busca de un reloj y encuentro uno justo encima del siguiente banco de taquillas. Lo he calculado a la perfección. Me encuentro a pocos metros de donde tengo que estar y llego allí con un minuto de antelación. Estoy apoyado contra las taquillas, tratando de aparentar que este es el sitio que me corresponde, cuando suena el timbre. Es entonces cuando me percato de que soy el único que no lleva uniforme.

A un lado y otro del pasillo, las puertas de las aulas empiezan a abrirse y sale gente en tropel vistiendo el tradicional uniforme a cuadros negros y blancos de Westlake. Las chicas llevan falda y blusa blanca. Los chicos, pantalones y camisa de etiqueta. Atisbo alguna que otra corbata y algún jersey de cuello de pico.

Las normas son claras en este pasillo circular apodado El Donut, y como todo el mundo tiene que andar en el sentido de las agujas del reloj entre clases, todos se dirigen hacia mí al mismo tiempo. Algunos me ven aquí de pie, pareciendo fuera de lugar con mi ropa de calle, y me lanzan una mirada interrogativa al pasar.

Estoy peinando la multitud en busca de Anna, pero

no la veo por ninguna parte, y cuando el nivel de actividad mengua comienzo a dudar. ¿Acaso me he equivocado con su horario de clases? Pero entonces la veo doblar la esquina, charlando con Alex, y mi corazón empieza a latir con fuerza.

Cuando se encuentra a unos metros de la puerta del aula, por fin me ve. Se para en seco y se tapa la boca con la mano. Su expresión es imposible de leer, y mientras se me acerca a grandes zancadas, no sé si está aliviada al verme o furiosa porque no aparecí cuando debía. Me preparo para lo peor, pero en cuanto está lo bastante cerca me echa los brazos a los hombros y me estrecha con fuerza. Nunca me he alegrado tanto de verla.

—Lo siento mucho —le susurro al oído.

Alex pasa por nuestro lado hacia el interior del aula y masculla la palabra «gilipollas» en voz baja.

—No le hagas caso —dice ella mientras hunde el rostro en mi cuello.

Trato de soltarla para poder verle la cara, pero me estrecha aún más fuerte.

—Lamento mucho haberme perdido el baile de antiguos alumnos.

—No importa. Ahora estás aquí.

El Donut se vacía y sé que está a punto de sonar el timbre. Retrocedo un paso y apoyo mis manos sobre sus hombros.

—Tengo que hablar contigo. —Señalo con la barbilla la doble puerta que conduce al exterior, y adivino por la expresión de su cara que sabe exactamente a qué me refiero—. Pero esta vez no puedo traerte de vuelta. Tendrás que perderte la clase de Español de verdad. ¿Está bien?

—Sí.

Lo dice con una risita, como si fuera la única respuesta posible.

Seguimos el camino cuesta arriba hasta que termina en el gran árbol que corona el risco. Nos sentamos uno junto al otro, exactamente como lo hicimos el año pasado cuando le conté la tercera y última parte de mi secreto y se convirtió en la cuarta persona en el mundo que sabía todo lo que había que saber sobre mí. Pero ahora no hay más que angustia y preocupación en su rostro, y no puedo evitar preguntarme si tomé la decisión correcta ese día.

—No sabía qué hacer. —Le tiembla la voz y también las manos. Se las cojo y me acerco aún más a ella—. Estabas allí de pie en el bosque aquel día, muy emocionado por algo, y entonces te desplomaste sin más. ¿Qué pasó? ¿Por qué no pudiste volver?

Niego con la cabeza.

—No lo sé. Hay algo que... falla. ¿Fue esa la última vez que me viste?

Asiente, pero está visiblemente desconcertada por el hecho de que se lo pregunte cuando es una información que ya debería conocer.

Ahora respira más deprisa y puedo percibir el pánico en su voz.

—Sí. Saliste rebotado hacia casa.

No hacia casa. Por lo menos, no enseguida. Si no estaba aquí ni estaba allí, ¿dónde estaba, desvanecido en el garaje durante veintidós horas?

Durante los quince minutos siguientes hablo sin parar, contándole a Anna todo lo que ocurrió la semana pasada: la noticia y yo con mi monopatín, las dos niñas y mi padre sirviéndome de secuaz, y que no tengo ni idea de dónde estuve durante casi un día entero, y cómo he pasado los últimos cinco días intentando volver con ella. Tuerce el gesto cuando le explico lo dolorosos que se han vuelto los regresos, cómo han ido empeorando y tornándose mucho más sangrantes.

—Ahora irá bien. —Exhibo mi mejor sonrisa y confío en tranquilizarla—. Volveré a hacer lo que he hecho siempre. Por lo visto, mientras utilice esta cosa ridícula que sé hacer para mis fines egoístas, puedo ir y venir como me plazca —añado.

Anna me toma la cara entre sus manos y me obliga a mirarla a los ojos.

—Tienes que prometérmelo. Se acabaron los rehacimientos, ¿vale? Nunca más.

Asiento con la cabeza.

—Sí, estoy seguro de que esa es la lección que debería aprender de esto.

Suelto una carcajada, pero Anna no se une a mí.

—Promételo —insiste.

—Sí. Lo prometo.

Cuando pronuncio estas palabras, me pregunto por qué resulta tan fácil hacerle esta promesa cuando no puedo hacérsela a mis propios padres.

Suspiro.

—Bueno, por lo menos ahora mi madre y mi padre pueden estar de acuerdo en algo. Los dos me han dejado bien claro que no debo viajar nunca más.

—¿Ni siquiera para verme? —pregunta, y dejo de reír.

—No... bueno. Sí. No exactamente.

Anna deja caer las manos y se aparta de mí.

—¿Qué significa «no exactamente»? ¿Te han dicho que ya no puedes volver aquí?

Bajo la vista al suelo.

—En realidad sí. Pero de eso hace cinco meses.

Espera que me explique, pero no tengo ni idea de qué decir a continuación. Esta conversación era inevitable, y le he dado muchas vueltas en mi cabeza, pero nada más lejos de mi intención que mantenerla hoy.

—Mis padres no... saben exactamente... de ti.

Inspiro hondo y aguardo mientras se queda mirándome durante un rato angustiosamente largo.

—¿Que no saben de mí? —No sé si tiene ganas de llorar o de pegarme. Niego con la cabeza y Anna entrecierra los ojos con incredulidad—. ¿Y tu hermana?

—Brooke lo sabe —murmuro.

—¿Brooke?

La voz de Anna se quiebra cuando dice su nombre, y hay un tono interrogativo al final, como si no pudiera creerse que solo hay una persona en mi mundo que sabe que ella existe.

—Escúchame, por favor. Mis padres no lo entenderían. Y no puedo contárselo a mis amigos... Quiero decir ¿qué debería decirles?

—Diles que vivo en Illinois. Tal como mis amigos creen que eres un chico normal de San Francisco. —Se aleja de mí, mostrándose confusa e indignada al mismo tiempo—. No tienes que decirles que vivo en 1995. —Dice esto último en voz tan baja que tengo que esforzarme para oírla. Pero entonces recobra la voz—. Mira, ya sé que te pirran los secretos, pero creía que habíamos acabado con esto.

—Así es. No tengo ningún secreto para ti.

—No, solo que yo soy uno.

Suelta un bufido sarcástico.

Baja la mirada hacia las ventanas del comedor, y esta vez sé que se está preguntando por qué albergó la idea de dejar que me implicara en su vida sin complicaciones.

—Mira —digo—, el pasado junio, cuando estaba atrapado en San Francisco y no podía volver aquí, pensé que no te vería nunca más. No sabía qué decir a mis padres ni a mis amigos.

Anna me mira muy seria y niega con la cabeza.

—Todas las personas de mi vida saben de ti, aunque

no conozcan tu gran secreto. —Dice esto último con sarcasmo, agitando los dedos delante de su cara para poner énfasis—. Nadie de aquí lo entiende. Nadie comprende por qué tengo una relación con un chico que vive a más de tres mil kilómetros... y ni siquiera saben de la misa la mitad. —Otro bufido—. Pero saben de ti. Nunca he podido mantenerte en secreto.

Dice esta última frase en voz baja, pero lo suficientemente alta para que la oiga.

Me froto la frente con las yemas de los dedos mientras trato de dar con las palabras adecuadas.

—No quería hacerte daño. Y juro que iba a decírselo algún día, pero era... más fácil no hacerlo.

Levanta la cabeza de golpe y vuelve a tener esa expresión.

—¿Más fácil? —pregunta.

Ahora tengo la certeza de que va a pegarme.

—No más cómodo. Más fácil. —Me llevo la mano al pecho—. Para mí. Mira, parece que a ti te gusta torturarte con álbumes de fotos y cosas que te recuerdan a nosotros dos, pero a mí no. Eso solo lo empeora. Me resulta más fácil fingir que no eres real cuando no estamos juntos.

Una lágrima resbala por su mejilla y se apresura a enjugársela.

Busco sus manos, y me quedo algo sorprendido cuando me permite cogérselas.

—¿Tienes idea de cuánto detesto estar allí sin ti? Cuando debería estar haciendo los deberes, salgo a conducir. Bajo la capota del Jeep, subo la música y circulo por la ciudad que siempre he querido, y lo único que deseo hacer es mostrártela. Quiero llevarte a mi café favorito en North Beach, donde sirven cafés con leche en cuencos en vez de tazones. Quiero enseñarte ese órgano de olas construido en un conjunto de rocas que tiene una vista alucinante de Alcatraz. Quiero llevarte a mi escuela y presentarte a Sam y al resto de mis amigos, para que los conozcas como yo conozco a Emma, Danielle y Justin. Pero no puedo hacerlo nunca. —Me aprieta la mano—. Ya lo hemos intentado y ha sido un desastre. Supongo que pensé que cuantas menos cosas tuviera que me recordaran que no podías estar allí, más fácil sería.

Anna me suelta las manos para poder secarse las lágrimas de las mejillas.

—Mira —digo—. Lo único que quiero es una relación normal contigo, y cuando estoy aquí, tengo la sensación de tenerla. Pero cuando estoy allí... te echo de menos. Continuamente.

Toma una de mis manos entre las suyas y la aprieta con fuerza.

—Les hablaré de ti, ¿vale? Enseñaré a mis padres tu álbum de fotos, y se lo contaré todo. Y explicaré que he terminado con los rehacimientos, que son el único motivo de que haya perdido el control, pero que necesito seguir viniendo aquí para verte. ¿De acuerdo? Lo prometo.

Suena el timbre, pero ninguno de los dos se mueve. Finalmente el comedor empieza a llenarse de gente, y veo que todo el mundo ocupa su sitio habitual en su mesa habitual y aborda sus conversaciones habituales.

—Genial —murmura Anna, observando la escena que se desarrolla abajo.

—¿Qué?

—Diez pavos a que Alex ya le ha dicho a todo el mundo que te ha visto aquí. —Se levanta y se sacude el polvo de los vaqueros—. Esto debería servir para un almuerzo delicioso.

—¿Quieres que me quede? —pregunto.

Anna me tiende una mano para ayudarme a levantarme y se la agarro. Entonces me mira y suelta un profundo suspiro.

—Está bien. Lo entiendo. —Empezamos a bajar de la colina y entrelaza su brazo con el mío—. Pero te advierto que la próxima vez que vengas más vale que traigas un ramo de flores gigantesco o algo así. Si te presentas con las manos vacías, a mis padres se les podría ocurrir algo más doloroso que salir rebotado hasta San Francisco.

—¿Tanto?

—Sí.

—No pude verte con el vestido.

Levanta dos dedos en el aire.

—Van dos.

Hago una mueca.

—¿Lo llevabas puesto esta vez?

Levanta las cejas y asiente despacio.

—Dios, soy un gilipollas.

—Sí. —Me ofrece una sonrisa triste y me golpea la cadera con la suya—. Pero no intencionadamente.

Exactamente cincuenta y cinco minutos después de irme, abro los ojos en el retrete del servicio de caballeros. Franqueo la puerta justo cuando empieza la jaqueca. Me escuecen los ojos y me dirijo tambaleándome hacia el lavabo, tanteando las paredes.

Encuentro el grifo, lo abro y pongo la boca bajo el chorro. Bebo tanto y tan deprisa como puedo antes de ahuecar las manos y echarme agua fría a la cara. Las luces fluorescentes me imposibilitan abrir los ojos y tengo la cabeza a punto de estallar, pero por lo menos son sensaciones conocidas.

Apoyo las manos en la encimera y mantengo la cabeza agachada, respirando y concentrándome, deseando que el dolor desaparezca. Veinte minutos después, las palpitaciones se han reducido a un dolorcillo sordo en las sienes.

Y todo parece haber vuelto a la normalidad. Bueno, por lo menos, a mi normalidad.

NOVIEMBRE DE 2012

26

San Francisco, California

El pitido de mi teléfono me despierta de un sueño profundo y me doy la vuelta. Me cubro la cabeza con el edredón para tapar la luz del sol. Empiezo a sumirme en el sueño de nuevo cuando suena otro pitido. Busco a tientas el móvil sobre la mesilla de noche y cuando abro los ojos descubro dos textos seguidos de Brooke.

> ¡Buenos días!

> Eh, ¿qué haces esta noche?

Mis ojos aún se están adaptando cuando aparece otro mensaje.

> Fiesta en nuestro apartamento. ¡Ven!

Me quedo mirando la pantalla mientras me lo pienso. Aparte de un plan algo vago de encontrarme con los chicos y perder el tiempo en Lafayette Park, en realidad no tengo nada más que hacer este fin de semana. Pero los compromisos sociales no son la verdadera razón de que crea que no debo acudir. Solo me queda una semana antes de que pueda ir a ver a Anna otra vez y no estoy dispuesto a hacer nada que lo ponga en peligro. Otro mensaje:

> ¡Quiero que mis compañeras de piso te conozcan!

Se me escapa un gemido de la boca mientras me dejo caer sobre la almohada. Levanto el teléfono sobre mi cabeza y le respondo.

> Creo que más vale que me quede.

Tiro el móvil sobre el edredón y cierro los ojos. No han pasado ni cinco minutos cuando vuelvo a oír un pitido. Espero ver otro mensaje demasiado entusiasta de Brooke, pero este es de Sam.

> ¿Cenando?

Contesto:

> Durmiendo.

Luego aclaro:

> Estaba.

Podría resultar imposible dormir en este momento, pero dejo caer mi mano al costado y el móvil vuelve a aterrizar sobre la cama. Estoy sumido en un aturdimiento tranquilo cuando llega otro texto, seguido de otro. Suspiro y cojo el teléfono.

> Despierta.
> Vamos a escalar.
> Fuera.
> Sobre rocas de verdad.

> Recógeme en 20 minutos.

El sol asoma por entre las cortinas. No he escalado fuera desde el verano pasado. Muy pronto llegarán las lluvias y Sam y yo no tendremos más remedio que ir al rocódromo. Y parece tan... normal. Podría concederme un día de normalidad.

Retiro las sábanas y me obligo a entrar en la ducha. Diez minutos después me siento como si esta fuera la verdadera vocación. Echo café en un termo, cargo mi equipo en el Jeep y llego al camino de entrada de la casa de Sam a la hora exacta.

No tengo ni idea de adónde vamos, pero él ya ha planificado nuestro destino, y antes incluso de que haya salido del camino marcha atrás lo está programando en el GPS. El itinerario empieza con un corto trayecto hasta el Golden Gate Bridge y termina al pie de una montaña tres horas más tarde.

—¿Escalaremos Donner? —pregunto cuando me detengo ante una señal de stop y observo el mapa.

Sam se encoge de hombros de forma exagerada y señala a través de la ventanilla de delante.

—¿Has visto este día?

Me mira fijamente como si no pueda creerse que sugiera cualquier otra cosa.

Estiro el cuello para ver mejor. Es uno de esos días casi de invierno: cielo azul intenso, sol radiante, viento fresco. Piso el acelerador y bajo la ventanilla, y mientras bajamos por la colina hacia la bahía el coche se llena de aire frío.

En el siguiente stop giro a la izquierda por una calle residencial y me detengo a un lado. Sam me mira de soslayo mientras me apeo, pero no tarda mucho en averiguar qué estoy haciendo, y cuando lo descubre, baja y procede a ayudarme a desabrochar la capota de tela del Jeep. La retiramos y la sujetamos. Luego reemprendemos la marcha.

—Ahora sí que es un viaje por carretera.

Sam cruza los brazos detrás de la cabeza y reclina el asiento del pasajero. Mientras busca música en mi iPhone, charlamos de las clases particulares que empezaré a dar el lunes. Me habla de los niños, de cómo identificar a los revoltosos, así como los que parecen tomarse las clases en serio.

Estuve genial en la entrevista. La jefa de la organización me ofreció el trabajo en el acto. Ahora he aplazado la fecha de inicio dos veces, como si la evitara, y cuanto más dice Sam, más empiezo a percatarme de que no quiero oír hablar de ello. Hay algo desagradable en todo este asunto.

El Jeep avanza hasta que por fin llegamos a la entrada del Golden Gate Bridge. De improviso, me acuerdo de la organización con la que me topé cuando empezaba a buscar proyectos de servicios comunitarios. La de Tenderloin, calle abajo del apartamento que se quemó pero no se cobró la vida de dos niños.

No me lo pienso dos veces y oigo cómo se me escapan las palabras:

—Voy a pasar de ese trabajo, Sam.

—¿Qué? No puedes hacerlo. Ya lo has aceptado.

Mantengo los ojos fijos en el tráfico de enfrente.

—Ya lo sé. Dejaré de aceptarlo.

Noto que me mira.

—Tienes que hacer algo para tus expedientes —insiste, y le aseguro que tengo esa intención.

Mientras cruzamos el puente le cuento todo lo que aprendí del vídeo *on-line* aquel día, y con cada palabra me siento más entusiasmado por volver a casa esta noche y rellenar la solicitud de ingreso.

—Como quieras. —Sam se recuesta sobre el reposacabezas y se queda mirando a través del techo abierto—. Míralo —dice cuando pasamos bajo la puerta de color naranja oscuro que se extiende sobre el puente—. Ah, lo mejor...

Sin mirar, lanza mi móvil al salpicadero.

—No es demasiado pronto para Jack White, ¿verdad?

—Nunca es demasiado pronto para Jack White.

Oigo la primera canción de la lista discográfica que hice meses atrás. Es una mezcla contundente de White Stripes, Raconteurs, Dead Weather y solos de White. Las notas de las cuatro guitarras eléctricas inician «Sixteen Saltines».

«Galletas saladas.» Sonrío mientras me imagino a Anna mordisqueando una y subo la música al máximo volumen.

Durante las tres horas siguientes nos dirigimos hacia Donner, oyendo mucha música, hablando muy poco y haciendo solo un alto en el camino para comer en In-N-Out. Engullimos los batidos y las patatas fritas, pero dejamos las hamburguesas envueltas para poder comérnoslas en la cima.

Después de llegar a la zona de aparcamiento junto a la carretera, cogemos nuestro equipo y caminamos treinta minutos hasta el pie de la primera ruta. Ninguno de los dos ha estado nunca aquí y Sam está atolondrado, recitando de un tirón todo lo que ha averiguado durante su búsqueda en Internet de anoche. Granito puro. Muchas vías. Vistas increíbles desde las cimas.

Al pie de la primera roca, me preparo. Me ato las botas, sujeto mi bolsa de magnesio a la presilla de mis pantalones y meto la sudadera en la mochila. Abro una de las barritas de granola que he cogido de la despensa esta mañana antes de salir y me la como en tres bocados. En el fondo de mi mochila, busco a tientas el *pack* de seis Gatorades tibios, abro uno y me lo bebo de un solo trago.

Miro alrededor. Sam y yo somos las únicas personas que hay aquí. Hago un gesto con la cabeza hacia el cielo y suelto un fuerte grito. Sam pega un brinco y me regaña por haberle asustado. Vuelve a ajustar el velcro de su calzado. El aire es limpio, este sitio es asombroso y me muero de ganas de contemplar la vista desde arriba. No tengo ni idea de cuánto lo necesito.

—¿Quieres que guíe? —pregunto mientras sujeto las levas a mi arnés.

Sam levanta los ojos hacia la roca.

—De hecho, esta es una vía propicia para la escalada superlibre. ¿Qué te parece? ¿Estás dispuesto?

Me lo pienso. No es tan vertical, y las presas parecen relativamente fáciles de ver, incluso desde aquí.

—Claro —digo, mientras devuelvo el equipo a mi mochila.

—¿Tienes las hamburguesas?

Sam enrolla la cuerda y la lanza por encima de su hombro. Luego se sujeta la bolsa de magnesio a la presilla del cinturón.

—Sí.

Golpeo suavemente la mochila más pequeña que he traído y paso los brazos por las correas. No tengo nada de hambre. Solo me siento eufórico y lleno de energía.

Sam consulta su reloj.

—Hemos llegado pronto. Solo son las doce y media.

La escalada es fácil al principio, y no me cuesta trabajo encontrar presas para manos y pies. Me impulso hacia arriba, me deslizo hacia la izquierda y vuelvo a impulsarme. El granito está frío y seco bajo las puntas de mis dedos. Avanzo ágilmente por la vía.

Hacia la cuarta parte de la ascensión diviso un buen sitio donde descansar. Encajo mi mano en una grieta grande y encuentro un espacio igualmente ancho para el pie. Dejo que los brazos se relajen un poco.

Busco a Sam. Está delante de mí, y parece manejarse bien con las rocas. Veo sus dedos agarrándose a la arista y observo cómo se iza a una cornisa para descansar. Está solo unos tres metros más alto, y puedo ver el sudor perlándole la frente y goteando por sus mejillas. Adopta una posición que le permite soltar una mano, se levanta el borde de la camiseta y se seca la cara.

Es hora de moverse, así que vuelvo a espolvorearme las manos con magnesio y me agarro a una presa. Apenas es suficiente para sujetarse, y al cabo de unos segundos mis nudillos se ponen blancos y los antebrazos me arden. Veo una presa mejor a unos centímetros y giro el cuerpo para poder asirme a ella, subiendo a una cornisa que es lo bastante ancha para sostenerse de pie. Me detengo a recobrar el aliento.

La cima está más lejos de lo que esperaba, y desde aquí será una ascensión lenta. No sé en qué estaba pensando. Han pasado meses desde la última vez que escalé en el exterior, y aunque esta tenía que ser una vía fácil, empiezo a pensar que lo de la escalada superlibre ha sido una mala idea. Cuando me espolvoreo las manos, me tiemblan los brazos por la fatiga.

Vuelvo a atacar la roca, y un poco después veo a Sam alcanzar la cima. Me paro a meditar mis últimos movimientos mientras me espera allí, doblado por la cintura y sonriéndome.

—Tío, mi madre escala más deprisa que tú.

Aprieto los dedos alrededor de la presa con una mano y libero la otra para dedicarle un gesto obsceno. Sam suelta una risotada y vuelve a sudar y jadear. Espero sentir la euforia que suelo experimentar en este punto de la escalada, pero cada movimiento me cuesta más esfuerzo del que debería. Mañana tendré unas agujetas de campeonato.

Ya casi estoy. En un par de movimientos estratégicos y bien planeados ganaré la cima. Respiro hondo y fijo los ojos en mi siguiente presa. Ejecuto el movimiento, luego otro y de repente me sujeto al saliente.

Respiro. Las puntas de mis dedos se hunden en el granito.

—Santo Dios, ya era hora. —Sam toma un trago de Gatorade y mira la hora en su móvil—. Ya es la una. Sube de una vez, ¿quieres? Me muero de hambre.

Cuando me impulso hacia arriba, noto que la arista se rompe en mis manos. Me caen tierra y fragmentos de roca en los ojos y palpo a ciegas, buscando cualquier cosa a la que agarrarme. Mi mano derecha se escapa y me sujeto más fuerte a la roca con la izquierda, pero resbala.

Sam reacciona en el acto, dejando caer su Gatorade y lanzándose en plancha. Su mano asoma sobre el reborde, pero para entonces ya no estoy cerca.

Mi mejilla se raspa contra la superficie y mi cadera golpea algo duro. Mi hombro choca contra una piedra y eso frena mi impulso, pero solo temporalmente. Mis dedos, ya en carne viva, me arden y escuecen cuando escarban el granito.

Oigo a Sam gritar desde la cima.

Espero que mi cuerpo se encoja para no tener que soportar el dolor del impacto. De repente, noto que mi cadera toma contacto con algo duro y me paro en seco. Estoy tendido hecho un ovillo en la cornisa en la que me hallaba antes, y es lo bastante ancha para mantenerme seguro, pero aun así gateo en busca de algo a lo que agarrarme.

—Quédate ahí —dice Sam, y me echo a reír.

Desaparece del reborde y sigo riendo, aunque no sé por qué. Quizá porque me impide pensar en lo deprisa que me late el corazón y que mis piernas parecen de goma.

Al cabo de un par de minutos regresa al saliente, se tiende boca abajo sobre la roca y deja un rollo de cuerda azul a su lado. La desenrolla sobre el borde y la veo caer, bailoteando y retorciéndose hacia mí. Cuando levanto la mirada, veo a Sam. Tiene el rostro crispado, los ojos llenos de pánico y las manos temblando furiosamente mientras hace bajar la cuerda.

Ato la cuerda a mi arnés. Sam grita: «Espera», y desaparece durante un minuto entero. Le imagino atando la cuerda a los anclajes de la cima y noto cómo se tensa. Regresa y se asoma sobre el borde.

—Ya estás amarrado. ¡Te tengo!

Levanta el pulgar y vuelve a echarse al suelo. Trata de mostrarse estoico, pero puedo captar la preocupación en su voz.

Empiezo a subir de nuevo, ejecutando mis movimientos mucho más despacio, meditando cada uno de ellos más de lo que suelo hacer. Procuro no pensar que volveré a caerme. No miro hacia arriba, pero me doy cuenta de que Sam se esfuerza por mantener la cuerda tensa.

Solo disto unos metros de la cima cuando Sam se deja caer al suelo otra vez, y cuando estoy lo bastante cerca baja la mano. En esta ocasión la agarro y le dejo subirme a la superficie.

Ninguno de los dos dice nada mientras nos tumbamos en la roca calentada por el sol y nos quedamos mirando al cielo. Ni siquiera me quito la cuerda de la cintura. Me quedo allí tendido. Al cabo de un rato, me llevo una mano a la cara. Me palpita la mejilla y tengo los brazos cubiertos de arañazos profundos. Me duele la cadera derecha cuando intento incorporarme, hay un pequeño tajo en mi hombro y tengo los dedos ensangrentados.

—¿Estás bien? —pregunta Sam, y asiento con la cabeza. No le miro, pero su voz aún parece algo temblorosa—. Dame tu mochila.

Tiende la mano y me la quito, pero la correa me roza el corte en el brazo. Me encojo. Sam rebusca entre mis cosas, y cuando levanto la mirada un minuto después está vertiendo Gatorade en una servilleta del In-N-Out.

—Toda el agua está abajo —dice mientras me la alcanza—. Tendremos que servirnos de esto.

Me quito la suciedad de la cara y me limpio el brazo. Sin decir palabra, tiendo la mano a Sam y me echa el resto de Gatorade. Vierto un poco más en una esquina limpia de la servilleta, tomo un buen trago, lo remuevo dentro de la boca y escupo una bocanada de tierra.

—Bueno, por lo menos te has triturado la cara y no las hamburguesas —comenta Sam, riendo.

Introduce la mano en la mochila, saca su Doble-Doble y luego me lanza la bolsa.

Vacío otro Gatorade; Sam da un buen mordisco a su hamburguesa y ninguno de los dos habla mientras contemplamos la vista. Tomo unos cuantos bocados, pero cuando pienso en lo que podría haber pasado siento que se me encoge el estómago y pierdo el apetito.

¿Y si me hubiera precipitado hasta abajo? No he pensado en repetirlo —todo ha sucedido demasiado rápido—, pero habría podido. ¿Y si me hubiera concentrado en un momento antes de empezar a escalar esa roca, hubiera cerrado los ojos y me hubiera hecho retroceder? ¿Qué habría ocurrido si hubiera salvado mi propia vida? ¿Podría hacer eso? En tal caso, Sam lo habría visto todo.

De improviso, pienso en algo que le dije a Anna en cierta ocasión. Como envidiaba sus profundas raíces en Evanston y una vida normal que ella ardía en deseos de abandonar, le dije que, aparte de mis padres y mi hermana, todo cuanto conocía en casa era de algún modo temporal. Ahora me siento culpable de haber dicho eso. Observo a Sam mientras mastica su hamburguesa y se limpia la salsa de la cara y no puedo dejar de recordar cómo se ha echado al suelo y ha extendido el brazo sobre el borde para cogerme.

Sam no es temporal. Nunca lo ha sido. Y se me ocurre que, si bien no puedo contarle mi mayor secreto, quizá no debería ocultarle tantos a mi mejor amigo.

Nos terminamos las hamburguesas y arrojo mi mochila —ahora mucho más ligera, pues solo está llena de basura— por el borde del precipicio. Utilizo la cuerda de la cima para bajar haciendo *rappel* hasta el pie de la roca, y Sam me sigue.

Recogemos y enfilamos el camino hacia la siguiente roca. Resulta ser mucho más técnica, y cuando Sam se ofrece para guiar, acepto enseguida. Escalamos dos vías distintas. Al atardecer, emprendemos el trayecto de media hora a pie hasta el Jeep.

Caminamos en fila y estamos casi al final del sendero.

—Sam —digo a su espalda.

Suelta un «qué» apenas audible.

—Hay algo que he querido decirte.

Sigue andando sin volverse.

Respiro hondo.

—La primavera pasada no estuve viajando por Europa.

Vuelve la cabeza y asiente brevemente. Luego reemprende la marcha.

—Estuve en Illinois.

—Ah...

—Viviendo con mi abuela.

El hecho de que no pueda verle la cara hace que me resulte más fácil.

—Y mientras estaba allí... bueno, conocí a una chica.

Se para en seco y estoy a punto de chocar contra su mochila. Se vuelve, sorprendido, con los ojos como platos.

—¿Por qué te alojabas en casa de tu abuela?

Me quedo mirándole. No me esperaba que me saliera con eso y no tengo una buena respuesta.

—Bueno... me estaba ocupando de unos asuntos familiares. Era complicado. Tenía que escapar.

No es la historia completa, pero hasta ahora no miento.

Sam junta las cejas.

—Coop —dice—. Todos sabemos que estuviste en rehabilitación. —Se para en seco y me mira fijamente—. Espera, ¿conociste a una chica en rehabilitación?

—¿En rehabilitación? ¿Por qué debería estar en rehabilitación?

Mi madre juró que no contaría esa historia ridícula a nadie excepto a la administración de la escuela. Y Sam nunca me ha visto beber, fumar ni tomar pastillas. Aunque hubiera oído eso, ¿cómo podía creerlo? ¿Cómo puede decirme eso ahora?

—Vamos, ¿por qué si no te marchaste de repente a mitad del curso escolar, no volviste en tres meses y cuando lo hiciste dijiste a todo el mundo que habías estado viajando por Europa? —Pone los ojos en blanco. Tiene razón—. Además, tu madre dijo a la madre de Cameron que estabas fuera «solucionando unos problemillas»? ¿Qué otra cosa debíamos pensar?

Genial.

Le adelanto y echo a andar por el sendero que conduce hacia el coche. No quería iniciar una especie de confrontación importante sobre dónde estuve la primavera pasada; solo pretendía hablarle de Anna. Estoy cansado. Hoy habría podido morir en aquella roca. Y ahora el cerebro no me funciona lo bastante deprisa para proporcionarme nuevas mentiras y ayudarme a proteger mi coartada. Tanto mentir resulta agotador, así que decido rendirme, jugar limpio.

—Verás —digo sin volverme—. No tienes que creerme, pero no estuve en rehabilitación. Estuve viviendo con mi abuela en Illinois durante tres meses y luego regresé. Ahora voy a verla. Y a Anna.

Sienta bien pronunciar su nombre en voz alta.

Oigo las pisadas de Sam detrás de mí, pero no dice nada, y yo tampoco. En cuanto llegamos al coche, cargamos en silencio nuestras mochilas y subimos. Giro la llave en el contacto y pongo la calefacción más fuerte. Luego cojo mi iPhone para buscar música.

Sam se abrocha el cinturón.

—¿Es por eso que te quedaste allí durante el resto del semestre? —pregunta.

No levanto la mirada pero asiento con la cabeza.

—Por Anna.

Inhalo bruscamente cuando oigo a Sam mencionar su nombre, y me vuelvo a mirarle.

—Sí, por Anna.

—Que vive en Illinois.

—Desgraciadamente, sí.

Hace con la mano su gesto característico para decir «oigámoslo», y mientras salgo del aparcamiento y tomo la carretera de dos carriles que baja al pie de la montaña, las palabras comienzan a brotar a raudales.

Omitiendo detalles sobre la década que visito, le cuento todo lo que hay que saber sobre Evanston, Illinois, y lo que hago cuando estoy allí. Incluso le explico la historia, remontándome hasta el pasado marzo, cuando llegué por primera vez a casa de mi abuela y me matriculé en Westlake. Media hora más tarde, no solo lo sabe todo de Anna, sino también sobre Emma, Justin, Maggie y los Greene. Anna tenía razón. Ahora me siento las espaldas más ligeras que en muchos meses.

Cuando llegamos al pie de la montaña, Sam señala una cafetería de carretera que abre las veinticuatro horas. Paro allí y aparco. Me dispongo a bajar cuando mi móvil emite un pitido. Lo cojo y leo:

> Te echo de menos aquí.
> ¿Vendrás el próximo finde?
> Quiero presentarte a alguien. :)

—¿Nos pides una mesa? —pregunto a Sam—. Tengo que responder a este mensaje.

—¿De Anna? —dice, como si disfrutara de estar al corriente.

Si supiera lo imposible que es...

—Es de Brooke. Concédeme un minuto. Entro enseguida.

Sam cierra la puerta del coche y se dirige hacia el interior. Se me ocurre que, por mucho que eche de menos a Brooke, y a pesar de que me encantaría contarle lo que ha sucedido hoy, me alegro de no estar en Boulder ahora mismo. No puedo acordarme de la última vez que quise estar exactamente donde estaba.

Tecleo las palabras:

> Yo también te echo de menos, pero no puedo ir el próximo finde (Anna).

Al cabo de un minuto llega su respuesta:

> Qué lata.

Estoy a punto de guardarme el teléfono en el bolsillo e ir a reunirme con Sam cuando tengo una idea. Anna me dijo que más valía que le llevara flores la próxima vez, pero puedo hacer algo mucho mejor. Me pongo a teclear.

> Yo también quiero presentarte a alguien.

> ¿Quieres venir?

NOVIEMBRE DE 1995

27

Evanston, Illinois

—¡Dios, qué frío hace ahí fuera!

Brooke entra la pierna y vuelve a cerrar la puerta del coche de golpe. Se ciñe la chaqueta en torno al cuerpo y tirita.

—De hecho, iba a pedirte que esperaras dentro del coche. ¿Te importa?

—¿Bromeas? Llevamos tres horas en la carretera, la última parte en medio de una tormenta eléctrica, y ahora debe de haber cinco grados bajo cero ahí fuera. —En realidad se acerca más a doce bajo cero, pero opto por no decírselo—. Estoy más que contenta de esperar dentro del coche. —Brooke tiende la mano con la palma extendida—. Llaves.

—¿Qué?

—Llaves. Calefacción. Música. —Señala el contacto—. Las llaves.

Le entrego las llaves del coche y extiendo el brazo detrás de mí para coger el enorme ramo de flores que he comprado por el camino.

—Estaré por allí. —Señalo la congregación de gente

en el campo rodeado de tiendas blancas—. ¿Ves al tipo del chaquetón azul? Ese es su padre. En cuanto veas que Anna se reúne con nosotros, dame diez minutos y luego ven. ¿Entendido?

—Entendido.

Gira la llave hacia atrás en el contacto, sube la calefacción hasta treinta grados y empieza a manipular el dial de la radio, buscando una emisora. Se para y me indica que me vaya.

—Vete. Estoy bien.

Cuando cierro la puerta, oigo el pistoletazo a lo lejos y sigo las señales hacia la línea de salida. El padre de Anna sigue apiñado con los demás padres, todos ellos sujetando un vaso de plástico con café en una mano y sosteniendo un cronómetro en la otra.

Me sitúo en el espacio libre que hay a su lado.

—Hola, señor Greene —digo en voz baja.

Se vuelve hacia mí. Mantengo las flores bajas a un costado, pero visibles.

Me examina el rostro y dice:

—Estás aquí.

Entonces vuelve a mirar hacia el circuito y toma un largo sorbo de su café.

Me remuevo incómodo.

—Sí, señor. Estoy aquí.

—Anna me dijo que vendrías, pero no la creí.

Baja la mirada hacia las flores, se lleva el vaso nuevamente a la boca, echa la cabeza hacia atrás y lo vacía de un trago.

—Quería decirle personalmente cuánto lamenté lo del baile de antiguos alumnos. Habría estado allí si hubiera podido, pero... yo...

Dejo la frase inacabada porque no puedo encontrar palabras que no sean mentiras.

Me mira fijamente.

—¿Por qué no llamaste?

Me remuevo nervioso. Busco un modo de justificar eso y decir la verdad, pero estoy en blanco.

—¿Sabías que estuvo allí plantada una hora, con ese vestido, esperándote? Y tú ni siquiera llamaste. ¿Cómo pudiste hacerle eso?

No grita, pero casi deseo que lo haga. Sería más fácil de asimilar que su porte sereno y la indignación y la decepción que destila su voz. Es casi insoportable. Casi basta para que se lo cuente todo, todos mis secretos, ahora mismo, para que pueda entender por qué sigo desapareciendo de la vida de su hija cuando es lo último del mundo que quiero hacer.

—No puedo expresar cuánto lo siento. Sé que... la dejé plantada.

Debe de captar el sincero arrepentimiento en mi voz, porque se le ablandan los ojos, pero solo uno o dos segundos. Se aleja sin decir nada más, y creo que se ha terminado. Pero entonces tira su vaso de café en una papelera y regresa a mi lado.

La mirada severa ha vuelto.

—Mi problema, Bennett —dice por fin—, es que sigues dejándola plantada. Y por algún motivo que su madre y yo no llegamos a comprender, ella sigue permitiéndolo.

Noto que se me crispa el rostro. No creía que pudiera sentirme más horrible de como me sentí después de decirle a Anna que ella era un secreto.

La multitud empieza a moverse en formación, situándose a ambos lados de la cinta de color amarillo vivo y formando un pasillo entre el lindero del bosque y la línea de meta. El señor Greene consulta su reloj y anuncia:

—Debería estar aquí en pocos minutos.

Creo que seguirá a los demás padres, pero en lugar de eso respira hondo y se vuelve a mirarme.

—Verás, no fingiré entender lo que hay entre vosotros. A ella no parece importarle que viváis a tres mil kilómetros uno del otro, ni que solo te vea cada ciertas semanas, pero a mí sí. No pasaba nada cuando vivías en la misma ciudad, pero esto es ridículo. ¿De verdad crees que podéis mantenerlo?

Sujeto las flores un poco más fuerte.

Hace un gesto hacia la meta.

—Ahí vienen —dice.

Se aparta de mí y se apiña con los demás padres. Aplaude y grita con voz grave y resonante, aunque aún no se ve ninguna corredora. Cuando aparece Anna, adopta una actitud completamente distinta. Me acerco para ver mejor, pero me mantengo a una distancia prudencial de él.

Tres corredoras se presentan al mismo tiempo, Anna en tercer lugar, pero pegada a los talones de la segunda chica. La supera con facilidad y luego acelera un punto. Sus pies giran tan deprisa que se tornan borrosos, sus brazos se mueven con fuerza a los lados y tiene una expresión resuelta en la cara que no le he visto nunca.

—¡Corre, Annie! —grita el señor Greene—. ¡Vamos! ¡Dale! ¡Vamos!

Ahora puedo verle los ojos, fijos en esa cinta amarilla. Está alcanzando a la primera, pero se le agota el tiempo para cerrar la brecha. Le pisa los talones, y su rival acelera de nuevo. Anna la supera por poco en el último suspiro. Atraviesa la cinta en primer lugar y levanta los brazos al aire.

El señor Greene sigue bramando, pero de repente para y pulsa algunos botones de su reloj. «¡Sí!», grita. Anna está al otro lado del campo, doblada por la cintura, con las manos sobre las rodillas, hasta que se endereza y empieza a andar en círculos, esforzándose por recobrar el aliento. Se detiene junto a la chica que ha estado a punto de vencerla y extiende un brazo para darle la mano.

Sus compañeras de equipo se apiñan a su alrededor, brincando y ocultándola a la vista. Pero momentos después sale del corro y la veo mirar alrededor, supongo que buscando a su padre. Le encuentra enseguida y le manda un saludo entusiasmado con la mano.

Anna echa a correr hacia nosotros y observo a su padre, paseándose de un lado a otro, como si tratara de evitar abalanzarse sobre su hija y auparla en brazos como si tuviera seis años en lugar de dieciséis.

—¿Lo has visto? —pregunta Anna. Su padre levanta la mano y ella se la choca—. ¡He tenido que apretar de lo lindo al final!

Tiene las zapatillas completamente cubiertas de barro, y cuando se acerca puedo ver que también lleva las piernas salpicadas de fango desde las pantorrillas hasta arriba.

—¡Esa es mi chica! —oigo exclamar a su padre mientras le da un fuerte abrazo.

Ella le planta un beso en la mejilla y él vuelve a abrazarla, con más fuerza aún. Es entonces cuando Anna abre los ojos y me ve allí de pie. Se separa de su padre.

—Hola —dice.

—Hola.

Le tiendo las flores y se le encienden los ojos. Entonces se tapa la cara con las manos y dice:

—Lo de las flores era solo una broma.

El señor Greene carraspea, Anna le mira y asiente una vez, como si le despachara, pero él no se mueve.

—Papá.

—Está bien. Iré a confirmar tu tiempo —dice, y nos deja solos.

—Caray, tu padre se ha cabreado conmigo —digo mientras le sigo con la mirada. Tengo el pulso acelerado y todavía me tiemblan las manos cuando le entrego las flores—. Me temo que esto no ha servido de mucho.

—Gracias de todos modos. Me encantan. —Coge el ramo con una mano y me pone la otra sobre la mejilla derecha—. ¿Qué te ha pasado en la cara?

—Me la he arañado escalando en roca. —Cubro su mano con la mía y le beso la palma—. También te he traído otra cosa.

—Ah, ¿sí? —Mira por encima de mi hombro, como si tratara de vislumbrar lo que hay detrás de mi espalda—. ¿Dónde está?

—En el coche. Confiaba en poder llevarte a casa. —Anna parece desconcertada, así que sigo hablando—. He estado pensando en lo que dijiste la última vez que estuve aquí, y tenías razón. Deberías conocer a mi familia. Y quiero que ellos te conozcan. —Se le arruga la frente y se queda mirándome—. Empezaré por Brooke.

—¿Brooke?

—Sí. Está en el coche.

Indico con la mano a mi espalda, hacia el aparcamiento. Mi rostro se parte en una amplia sonrisa, y espero que el suyo haga lo mismo, pero en vez de eso parece horrorizada.

—¿En el coche? No puedo conocer a Brooke ahora. No estoy... Quiero decir...

Tiene la camiseta empapada en sudor y las mejillas salpicadas de barro. Se deshace la coleta, se aparta el pelo de la cara y vuelve a colocárselo como estaba, pero entonces abre los ojos como platos mientras mira por encima de mi hombro.

—¿Qué pasa?

—¡Hola!

Oigo la voz de Brooke detrás de mí. Había olvidado que le he dicho que esperara diez minutos antes de bajar del coche. Debería haberle dicho que aguardara allí hasta que fuera a buscarla. Debería haber concedido a Anna más tiempo para hacerse a la idea. De repente, sorprenderla con esto se me antoja egoísta.

—Hola. —Anna se mira la ropa y sacude la cabeza—. Vaya... Esperaba conocerte cuando estuviera... más limpia.

Brooke agita la muñeca en el aire, como para espantar el comentario de Anna.

—No te preocupes —dice. Pero entonces se queda allí plantada con embarazo, cruzando y descruzando los brazos, mientras intenta pensar en algo más que decir—. Estoy muy entusiasmada con este viaje por carretera. Viví unos meses en Chicago, pero nunca vi el resto de Illinois.

—Hay una buena razón para eso —responde Anna.

Suelta una risita nerviosa y vuelve a quedarse mirando a Brooke como si aún tratara de hacerse a la idea de encontrarse frente a ella.

Entonces llega el padre de Anna y los presento.

Brooke da saltitos mientras le tiende la mano.

—Es un placer conocerle por fin, señor Greene. Bennett me ha hablado mucho de su familia.

Todavía le estrecha la mano, y el padre de Anna baja la mirada como si se preguntara si tiene intención de soltársela pronto.

—Encantado de conocerte —dice, lanzándome una fugaz mirada de soslayo—. Nosotros también hemos oído hablar mucho de ti. Me alegro de verte tan bien de salud.

A Brooke se le contrae el rostro y se dispone a decir algo, pero entonces me mira y yo le devuelvo la mirada con una expresión que viene a decir: «Síguele la corriente.»

Asiente y responde:

—Gracias.

Le suelta la mano. Cuando el hombre aparta los ojos, Brooke me fulmina con la mirada.

—Hay un periodista entrevistando al equipo —dice el padre de Anna a su hija.

Señala a lo lejos hacia una tienda de lona blanca con un rótulo que exhibe el logo de la Asociación de Institutos de Illinois. Identifico a su entrenadora y a algunas de sus compañeras de equipo.

—Deberías ir con ellas.

Me lanza una mirada antes de volver a poner los ojos en Anna. Todo, desde la expresión de su cara hasta su posición con los brazos cruzados, deja bien claro que no quiere verme aquí.

—Vuelvo enseguida —nos dice Anna, y luego se dirige a su padre—: Volveré con ellos, ¿vale? Pero antes regresaré al hotel contigo para darme una ducha.

—¿Qué hay de la tienda? —El señor Greene está hablando con Anna, pero me mira a mí, con la cara roja e inexpresiva. Casi puedo oír cómo le hierve la sangre. Finalmente aparta la vista y respiro hondo—. Solo te necesito durante una hora —dice a su hija—. No puedo cerrar en mitad del día.

Entonces, Anna y su padre intercambian una mirada elocuente, y tengo la sensación de que he sido el tema de una serie de discusiones tensas en casa de los Greene durante las últimas semanas. Al cabo de unos incómodos segundos más, el hombre vuelve a mirarme, aún cruzado de brazos y con el ceño fruncido.

—Tiene que estar en la librería a las tres.

—Allí estará —aseguro.

Devuelve su atención a Anna y señala las flores que tiene en la mano.

—¿Quieres que me las lleve y las ponga en agua?

Su rostro se relaja, ella le dirige una sonrisa agradecida y le pasa el ramo.

Cuando se encaminan hacia la tienda para atender al entrevistador, Brooke me propina un puñetazo en el brazo.

—¡Ay! —Hago una mueca—. ¿A qué viene eso?

—Nada. Solo quiero demostrar que estoy bien de salud.

Me echo a reír y me froto el brazo allí donde me ha pegado.

—Sí, seguramente debería haberte puesto al corriente de eso.

Brooke y yo esperamos en el coche frente al hotel, y por fin vemos salir a Anna por la doble puerta. Se instala en el asiento del pasajero. Todavía tiene el pelo húmedo y huele a jabón.

—De todos los sitios del mundo a los que podríamos ir, y quieres conducir tres horas desde Peoria hasta Evanston.

—Será divertido.

—¿Divertido?

—Sí, divertido. De hecho, Brooke y yo hemos diseñado un trayecto que nos llevará a los tres por un territorio completamente nuevo durante las tres próximas horas. Tomaremos la ruta pintoresca.

—No hay nada pintoresco desde aquí hasta el lago Michigan. Créeme.

—Vamos, eso no es cierto. Durante la siguiente hora pasaremos por dieciocho lagos.

—¿De veras?

Asiento con arrogancia.

—Apuesto que nunca has estado en Oglesby. —Anna me mira con las cejas levantadas—. No, ¿verdad? ¿Y qué me dices del Starved Rock State Park? —Trata de no sonreír—. ¿Sabías que las rocas pueden morirse de hambre?

Niego con la cabeza como si fuera una idea imposible.

—¿Cómo sabes de esos sitios?

No puedo decirle que me he pasado la última semana estudiando este recorrido en Internet, así que opto por bromear.

—*Lonely Planet: Illinois.* ¿Qué, tampoco has oído hablar de eso?

Se queda mirándome.

—Quizá deberías ponerte a conducir —dice, y salgo en dirección a la carretera 29.

Anna dobla una pierna bajo su cuerpo y se vuelve hacia Brooke, que va sentada en el asiento trasero.

—Bueno... cuéntamelo todo sobre ti —dice.

Durante la hora siguiente hablan sin parar, y ni siquiera me atrevo a meter baza.

Diviso una cafetería de carretera que da al lago Fox, y los tres bajamos y estiramos las piernas. Dentro, la camarera nos acomoda en un reservado con vistas al agua, y Anna y yo nos sentamos a un lado mientras que Brooke se instala delante de nosotros.

—¿Café? —pregunta la camarera mientras nos entrega la carta.

Después de una ronda de «Sí, por favor», regresa con tres tazones humeantes. Brooke y Anna extienden el brazo para coger la leche al mismo tiempo que yo me río entre dientes.

Consultamos la carta y la camarera vuelve para coger el pedido.

—Yo tomaré el plato especial, por favor —dice Anna. Lo localizo enseguida en la carta: huevos, croquetas de patata hervida y cebolla, bacón y tostada—. Los huevos revueltos, por favor.

—Yo tomaré lo mismo —digo.

Brooke suelta un profundo suspiro cuando la camarera le pregunta qué quiere.

—Yo tomaré la tortilla vegetariana, pero que me la hagan solo con claras de huevo, por favor. Y sin bacón ni salchicha de guarnición. Solo una tostada de trigo integral. Sin mantequilla, por favor.

La camarera se queda mirándola.

—¿Solo claras de huevo? —pregunta con vacilación, y Brooke asiente—. ¿Sin yemas?

Entrecierra los ojos e inclina la cabeza hacia un lado.

—Eso es.

La muchacha mueve la cabeza y anota.

—Veré qué puede hacer la cocinera.

Mientras se aleja, Brooke me mira y agita las manos en el aire.

—Como si no hubiera oído nunca hablar de una tortilla de clara de huevo.

—Estás en 1995 —le recuerdo.

—Estás en medio de Illinois —agrega Anna.

Rodeo los hombros de Anna con un brazo y ella me besa en la mejilla. Nuestros ojos se encuentran un momento, y trato de leer su expresión.

—¿Estás bien? —pregunto.

Se lo piensa un segundo antes de asentir.

—Seguro.

—Bien.

Le doy un besito.

—Supongo que vais a parar cuando llegue la comida, ¿no? —dice Brooke.

Estiro un brazo sobre la mesa, cojo un sobrecito de azúcar y se lo tiro.

Brooke lo pesca en el aire y lo devuelve al recipiente.

—Qué infantil —dice. Pero entonces suelta una carcajada y aprieta las manos contra la superficie de la mesa—. Bueno, ya no puedo aguantarme. Tengo noticias.

Anna y yo nos miramos antes de fijarnos en mi hermana.

—He conocido a alguien. Se llama Logan y es de Australia. Tiene un acento adorable.

Parece especialmente orgullosa de esto último.

Anna me mira de soslayo y se inclina hacia delante.

—¿Dónde le conociste? —pregunta.

Todo el rostro de Brooke se ilumina de nuevo. Brinca sobre su asiento y se inclina hacia delante, imitando la postura de Anna.

—Nos conocimos en el concierto de Train.

Carraspeo.

—Ten cuidado... —le advierto.

Brooke agita las manos en el aire y replica:

—¿Qué pasa? ¡Han existido siempre!

Levanto las cejas.

—No tanto como podrías creer.

Suspira.

—Entiendo. —Vuelve a empezar, eligiendo sus palabras con más cuidado—. Nos conocimos en un concierto en Red Rocks. —Brooke me mira pidiendo confirmación y le hago un gesto afirmativo con la cabeza—. Está allí con un grupo de chicos y yo estoy con mis compañeras de piso, Shona y Caroline. Shona reconoce a uno de sus amigos de una clase, así que los dos se ponen a hablar, y muy pronto estamos todos juntos, esperando que empiece el espectáculo. Entonces, uno de ellos pregunta si queremos sentarnos con ellos.

Se detiene a recobrar el aliento y tomar un sorbo de café.

—Logan se sienta a mi lado y nos ponemos a charlar. —Sonríe—. También le chifla la música. —Se inclina hacia mí—. Me moría de ganas de decirle que había estado en Sídney para ver un concierto de Maroon 5 en 2008.

—Otra vez —le recuerdo.

—Ah, vale. —Se inclina más hacia Anna y le guiña el ojo—. El cantante está como un tren.

Le doy un puntapié por debajo de la mesa y se ríe.

—Así que hablamos de cuando en cuando durante el concierto, y en mitad de la segunda parte se inclina hacia mí y me pregunta, con su adorable timidez, si tengo novio. A lo cual, naturalmente, respondo que no. Y me doy cuenta de que quiere besarme, ¿vale? Pero no lo hace. Seguimos bailando, rozándonos uno contra el otro y todo eso, pero no da un paso.

La camarera llega y deja nuestros platos sobre la mesa. Brooke baja la mirada hacia su tortilla, que parece una tortilla de tres huevos absolutamente normal, y luego levanta los ojos hacia la camarera.

—Gracias —dice.

Coge el tenedor y procede a apartar todas las verduras.

—Al terminar la velada nos intercambiamos los números de teléfono y nos despedimos, y todo el mundo emprende su camino por el aparcamiento, pero entonces le oigo decir mi nombre a mi espalda. —Sonríe—. Así que me vuelvo y le veo allí plantado, y me pregunta si puede darme un beso de buenas noches. ¿A que es encantador?

Se inclina sobre la mesa y Anna hace lo mismo.

—Besa como los ángeles.

Miro de reojo a Anna. Tiene una sonrisa tímida y ya

empiezan a subirle los colores desde el pecho otra vez. Coge una lonja de bacón y toma un bocado.

—Salimos la noche siguiente y no te lo pierdas: vive a una manzana de mi casa. ¿Puedes creerlo? Desde entonces somos inseparables. Vamos juntos a la universidad en bici, nos vemos para comer y estamos ridículamente chochos. —Brooke hace una pausa y muerde su tostada. Entonces suelta un suspiro—. Ya le echo de menos.

Miro a Brooke y me siento invadido por la envidia. Anna y yo nunca sabremos lo que es vivir a una manzana uno del otro. Nunca planificaremos nuestros horarios de clases para poder ir juntos en bici a la escuela, y nunca nos encontraremos en la universidad ni nos sentiremos atolondrados cuando veamos inesperadamente que el otro se nos acerca. Ni siquiera ha transcurrido un día entero desde que Brooke vio a ese chico por última vez; no tiene ni idea de lo que es echar de menos a alguien.

Pero si Anna está pensando lo mismo, no lo demuestra.

—Suena estupendo. —Entonces coge su tenedor y añade—: Estoy hambrienta.

Y ataca su desayuno.

28

Los tres pasamos las siguientes horas en la carretera. Paramos en el Starved Rock State Park y paseamos por los senderos, contemplando las formaciones rocosas y las cascadas. Anna no dice nada, pero parece rendida, y se me ocurre que seguramente este no es el mejor momento para ir de excursión. Al cabo de cuarenta y cinco minutos de turismo, sugiero que regresemos a Evanston y se muestra aliviada.

Cuando llegamos a la librería solo son las dos y media, y el centro de la ciudad está lleno de gente. No encuentro aparcamiento hasta que llego a la siguiente manzana.

—Aquí es perfecto —declara Anna cuando meto el utilitario deportivo en una plaza estrecha delante del parque—. Podemos pasar por la cafetería y tomar un café con leche.

Nos apeamos del coche e introduzco unas monedas en el parquímetro. Una vez dentro, nos dirigimos a nuestro sofá en el rincón y Anna y Brooke se dejan caer una frente a la otra. Anna empieza a hablarle de los grupos que tocan aquí los domingos por la noche mientras yo pido las bebidas en la barra.

Los tres permanecemos sentados un rato y me percato de que Anna se está inquietando. No deja de mirar el reloj y por último, cuando ya no puede esperar más, se despide de Brooke. Las dos se abrazan e intercambian unas palabras más, y Brooke me hace prometer que la volveré a traer aquí pronto.

Después de marcharse Anna, Brooke y yo nos quedamos un ratito más, tomando café y comentando la jornada.

—A mamá y papá les caería simpática —dice Brooke.

—Sí. —Suelto un bufido—. Tan pronto como superaran el hecho de que vive en la misma calle que nuestra abuela. —Pongo los ojos en blanco—. Y que va al instituto en el que se graduó nuestra madre. Y que ella y Maggie se han hecho amigas íntimas. Pero sí, tan pronto como superaran todo esto, apuesto que les caería estupendamente. —Dejo mi café sobre la mesa, me reclino contra el sofá y fijo los ojos en el techo—. Tengo que decírselo cuando mañana llegue a casa. —Ladeo la cabeza y miro a Brooke—. Me matarán.

—No, no lo harán. Puede que no lo entiendan del todo, pero ¿qué van a hacer? Además, piensa en lo bueno que sería no tener que ir a hurtadillas.

Lo intento, pero llevo tanto tiempo haciéndolo que ni siquiera puedo imaginármelo.

Brooke echa la cabeza hacia atrás, toma otro trago y luego deja su taza sobre la mesa, junto a la mía. Ninguno de los dos dice nada, pero ambos sabemos que ya es hora de que se vaya.

Me sigue hasta el final de la barra y enfilamos el largo pasillo que conduce a los servicios. Miro dentro del lavabo de caballeros mientras ella se queda fuera esperando. Una vez que he comprobado que está desierto, entreabro la puerta y le hago seña de que entre.

Cierro la puerta y, sin mediar palabra, me coge las manos. Sacude los brazos con fuerza, como hace siempre, y luego me da un beso en la mejilla.

—Muchas gracias.

—De nada —le digo, lo cual no es del todo cierto pero parece la respuesta más apropiada.

Cierra los ojos y yo hago lo mismo. Cuando los abro, estamos en el dormitorio de Brooke, exactamente allí donde la he recogido esta mañana.

—Sigo queriendo presentarte a alguien —me recuerda, y le contesto que lo intentaré.

Entonces cierro los ojos. Cuando vuelvo a abrirlos, estoy de pie en el lavabo, solo.

No sé qué hacer durante la siguiente hora mientras Anna está trabajando. Salgo y me encamino hacia la tienda de discos cuando una ambulancia dobla la esquina y pasa por mi lado a toda velocidad, con la sirena aullando y las luces girando. Me dispongo a cruzar la calle cuando la veo detenerse justo delante de la librería.

Echo a correr.

Cuando llego a la entrada, los servicios de urgencias están empujando una camilla a través de la puerta, apartando el gentío que ya ha empezado a congregarse fuera. Les sigo.

—¡Anna! —grito una vez dentro, pero no la veo en ninguna parte.

Continúo siguiendo la camilla mientras enfila el pasillo de los libros de cocina.

Y es allí donde la encuentro. Está sentada en el suelo, rodeando con los brazos a su padre, que está echado contra los estantes, con las piernas dobladas en mala posición. Uno de los técnicos de los servicios de urgencia extiende los brazos para apartar a Anna, pero ella le mira aterrorizada y se niega a moverse.

—¿Qué le pasa? —grita.

—No lo sé —oigo decir al hombre—. Necesito que te retires para que podamos averiguarlo, ¿vale? Por favor.

No puedo llegar a su lado lo bastante rápido.

Cuando me ve, sujeta el brazo de su padre aún más fuerte, pero me arrodillo junto a ella y la atraigo hacia mí.

—Ven aquí —digo. Me tiemblan las manos cuando busco las suyas—. Deja que ellos ayuden a tu padre.

Miro al señor Greene. Tiene los ojos muy abiertos, fijos delante de él. Pero entonces le cae la cabeza despacio a un lado, me mira y parpadea a cámara lenta.

Anna vuelve la cabeza hacia mí, luego hacia su padre y de nuevo hacia mí. Por último, le suelta el brazo y me deja llevarla a unos metros de distancia. Los paramédicos tienden al señor Greene en el suelo y empiezan a actuar para hacerle volver de dondequiera que esté ahora mismo.

—¿Qué ha pasado? —le pregunto.

—No lo sé. Cuando he llegado a la tienda, no creía que estuviera aquí. —Le tiembla la voz y respira con tanta dificultad que las palabras le salen entrecortadas—. He estado buscándole unos minutos hasta que le he encontrado. —Hace un gesto hacia su padre—. No sé cuánto tiempo lleva así, Bennett. No sé qué pasa.

Justin debe de haber oído las sirenas desde la tienda de discos porque irrumpe por la puerta y escudriña el local con una mirada inquieta. Se muestra visiblemente aliviado al ver a Anna, pero su expresión cambia de nuevo cuando descubre el equipo de paramédicos que se ha congregado alrededor del señor Greene.

—¿Qué ha ocurrido? —pregunta, pero ninguno de los dos sabe qué decir.

—Le he encontrado así —contesta Anna.

Ahora está llorando, y no dejo de decirle que no será nada, aunque no tengo ni idea de si es verdad.

Uno de los técnicos se levanta y se nos acerca. Mira directamente a Anna.

—Le llevaremos al Northwestern Memorial.

—Mi madre trabaja allí —responde Anna en voz baja—. Es enfermera. —Entonces me mira—. Tenemos que localizarla —susurra.

Y antes de que yo pueda contestar, interviene Justin:

—Yo me encargo.

Y se encamina hacia el teléfono de la trastienda.

El técnico del servicio de urgencias saca una carpeta sujetapapeles y un bolígrafo del soporte de plástico.

—¿Has estado con él en algún otro momento del día?

Tras él, los otros dos paramédicos están conectando máquinas al pecho del señor Greene y trasladándole a la camilla.

—Esta mañana —contesta Anna, en voz baja y débil—. Estaba bien.

El hombre lo anota.

—¿A qué hora le has visto por última vez?

Esta vez Anna habla más fuerte.

—A eso de las diez.

Aparta la mirada, y no sé si está pensando lo mismo, pero tengo que preguntarlo.

—¿Qué habría pasado si le hubiéramos encontrado más pronto?

El técnico del servicio de urgencias sacude la cabeza.

—Aún no sabemos nada. No puedo decirlo.

—¿Qué habría pasado? —repito.

—No lo sé. Puede que vierais señales de que algo iba mal. —Me mira directamente—. Mira, déjanos que le llevemos primero al hospital y averigüemos qué ha ocurrido, ¿vale?

Los otros dos paramédicos le hacen una seña, y él cierra la libreta de golpe y se dirige hacia la puerta.

—Puedes venir al hospital con nosotros —le dice a Anna. Y a mí—: Lo siento, solo familiares.

Vuelve a mirar a Anna y añade:

—Sígueme.

Anna empieza a moverse, pero la agarro con más fuerza.

—Ven conmigo. Iremos detrás de ellos.

El técnico del servicio de urgencias entrecierra los ojos al dirigirse a Anna.

—¿Dejarás solo a tu padre?

—Iremos detrás de ustedes —replico.

Los otros paramédicos pasan junto a nosotros empujando la litera hacia la ambulancia, y el hombre mueve la cabeza indignado antes de seguirlos.

Aparto de la puerta a algunos curiosos y las campanillas tintinean ruidosamente cuando la cierro de golpe. Echo el cerrojo de seguridad.

Cuando la sirena se aleja y las luces rojas giratorias se pierden de vista, cojo a Anna de la mano y la llevo hacia el otro lado de la librería. Pasamos junto a la caja de delante y veo las flores que le he traído esta mañana. Están en un jarrón. Con agua. Tal como le ha prometido. Respiro hondo.

—Regresaremos a esta mañana. —Justin está en la trastienda, pero aun así hablo en voz baja—. Escúchame, ¿vale? Tenemos que retroceder hasta esta mañana..., hasta el hotel. Era el único momento en que no nos movíamos ni estábamos a la vista. No puedo sincronizarlo de otra forma.

Anna no se mueve ni dice una sola palabra.

—Volveremos a las diez y cuarto, justo antes de que dejaras a tu padre en el hotel. Irás a casa con él y eso te dará tres horas para observarle y detectar... lo que sea..., algún indicio de que algo va mal.

Parpadea varias veces.

—¿Y si retrocedemos hasta entonces y no pasa nada?

—No lo sé, en ese caso dile que te ocurre algo. Dile que te cuesta respirar, o invéntate una excusa para pasar por el hospital a ver a tu madre. Haz lo que debas para cerciorarte de que vaya directamente a un hospital.

Anna asiente con la cabeza.

—¿Recuerdas dónde ha aparcado el coche?

Lo piensa un momento.

—Sí —susurra.

Está pálida como un muerto y temblorosa.

—Ahora tienes que dominarte, ¿entendido? No te preocupes. Lo arreglaremos.

Me viene a la cabeza una imagen de mí mismo magullado y tendido sobre un charco de sangre, atrapado quién sabe dónde o cuándo. La aparto. Los efectos secundarios no tienen importancia. Lo único que importa es devolver a Anna a esta mañana.

Apoyo mi frente contra la suya. Ni siquiera tengo que pedirle que cierre los ojos. Antes de cerrar los míos, pienso en esta mañana y trato de concentrarme en una imagen mental del hotel y un momento preciso. Puedo dejar que el otro «yo» desaparezca sin ninguna alteración. Me imagino el camino circular que sube hasta el hotel donde Brooke y yo hemos recogido a Anna esta mañana y...

—Brooke. —No pretendía decirlo en voz alta, pero debo de haberlo hecho porque al abrir los ojos veo a Anna mirándome fijamente. Le suelto las manos y me froto las sienes con las yemas de los dedos—. ¿Qué le pasará a Brooke? —me oigo decir.

Ha estado conmigo durante todo ese tiempo. Si Anna y yo regresamos sin ella, ¿qué ocurrirá? ¿Desaparecerá también Brooke? Si está en el coche cuando vuelva, ¿qué haré con ella? Y si no está en el coche, ¿adónde habrá ido?

Tengo que volver aún más atrás. Tengo que remontarme a esta mañana, antes de recoger a Brooke. Vuelvo a coger las manos de Anna, pero esta vez no es porque tengamos un destino. Sin pensarlo, empiezo a pronunciar en voz alta todo lo que me pasa por la cabeza.

—No sé cómo hacer esto. No es directo, como las otras veces. Interfiere con... muchas cosas.

Apenas tengo tiempo de soltar estas palabras cuando Justin asoma por la esquina y enfila precipitadamente el pasillo hacia nosotros.

—Estás aquí. He localizado a tu madre —le dice a Anna—. Todavía está en el hospital. Tengo que llevarte.

Anna desenreda sus dedos de los míos y sigue a Justin a través de la puerta. Cuando él le pone un brazo sobre los hombros, ella se detiene y se vuelve. Estoy exactamente en el mismo sitio donde me ha dejado.

—¿Vienes con nosotros? —pregunta.

—Sí.

Hundo las manos en los bolsillos y les sigo, sin dejar de pensar en lo acaecido esta mañana, buscando desesperadamente una escapatoria.

El coche de Justin está aparcado al otro lado de la calle, al doblar la esquina de la tienda de discos. Le abre la puerta a Anna y esta sube mientras yo me dejo caer en el asiento de atrás. Jamás me he sentido más impotente.

Cuando nos paramos en un semáforo, Anna señala a través de la ventanilla mientras mira a Justin.

—¿Puedes parar allí, por favor?

Justin atraviesa el cruce y se detiene en la siguiente manzana. Anna baja del coche, echa el asiento hacia delante y se sienta detrás a mi lado. Apoya la cabeza sobre mi hombro y me susurra al oído:

—No puedo dejar que vuelvas atrás.

Miro al retrovisor y mis ojos encuentran los de Justin. Me mira fijamente un momento antes de pisar el acelerador.

29

La señora Greene nos ve tan pronto como doblamos la esquina y entramos en la sala de espera de la UCI, y los tres nos quedamos inmóviles cuando se levanta de un salto de la silla y cruza precipitadamente la habitación hacia nosotros. Todavía lleva puesto el uniforme.

Abraza a Anna con fuerza, la aparta de nosotros y se la lleva a las sillas del rincón, donde la acribilla a preguntas. Anna parece tranquila mientras informa a su madre de todo lo acaecido, desde que ella y su padre salieron de casa la noche anterior hasta la serie de sucesos que han desembocado en el momento en que le ha encontrado en el suelo de la librería.

Justin me lanza una mirada y yo se la devuelvo, confirmando en silencio que ninguno de los dos sabe qué hacer. Él recorre incómodo la sala con la vista y yo señalo un par de sillas situadas a una distancia prudencial. Pasamos los veinte minutos siguientes en silencio.

Entonces los padres de Justin irrumpen por la puerta, y eso hace que el nivel de energía vuelva a subir.

—¿Dónde está? —pregunta la señora Reilly al acercársenos.

Justin la abraza y luego señala hacia el rincón. Ojalá no tuviera que oír a la madre de Anna repetir los mismos horrendos detalles, pero estoy lo bastante cerca para captar cada palabra que dice y cada interjección que suelta la boca de la señora Reilly.

Me inclino hacia delante, apoyando los codos sobre las rodillas para poder taparme los oídos y por lo menos amortiguar el sonido. Me dispongo a salir a tomar un poco el aire cuando oigo la voz de Anna.

—¿Tenéis un cuarto de dólar? —pregunta mientras se deja caer sobre la silla contigua.

Estira las piernas y recuesta la cabeza contra la pared mientras Justin y yo rebuscamos en los bolsillos.

—Toma —dice Justin.

Anna extiende un brazo delante de mí para coger la moneda y se levanta.

—Voy a buscar un teléfono público para llamar a Emma. Vuelvo enseguida.

Anna se ausenta durante diez minutos largos, y Justin y yo retomamos nuestra actitud silenciosa. Pero entonces la médico entra en la sala de espera y llama a la señora Greene. Esta se pone en pie y cruza la habitación. Las dos hablan en voz baja durante un momento.

La madre de Anna vuelve la cabeza hacia mí.

—Bennett, ¿puedes ir a buscar a Anna?

Me muevo con celeridad, salgo de la sala de espera y accedo a los pasillos esterilizados, pero no tengo ni la menor idea de dónde está. Sigo los corredores y doy media vuelta cuando parece que no tienen salida, pero por último la veo al final de un pasillo, apoyada en la pared y jugueteando con el cordón de acero del teléfono mientras pone a su amiga al corriente de lo ocurrido.

Me ve acercarme.

«Médico», articulo con la boca, y Anna dice algo que

no puedo oír antes de colgar el teléfono de golpe. Los dos regresamos corriendo a la sala de espera.

Nada más verla, su madre la coge por los hombros y luego nos indica a los demás que nos acerquemos.

—Venid.

Los seis formamos un semicírculo mientras la doctora explica de un modo excesivamente prosaico que el señor Greene ha sufrido un derrame cerebral. Entra en detalles sobre la serie de pruebas que están haciendo para determinar exactamente a qué hora ocurrió y el alcance de la lesión.

Mira directamente a la madre de Anna, a quien se dirige más como una colega de profesión que como la esposa de un paciente.

—Como seguramente sabes, las apoplejías son complicadas al principio. Todo depende de cuánto tiempo ha estado sin conocimiento hasta que tu hija le ha encontrado. Cuando el equipo médico ha llegado al lugar, le ha administrado una medicación para disolver la embolia, pero... —La médica deja la frase en puntos suspensivos y Anna empieza a enroscarse el pelo alrededor de un dedo—. Hasta que podamos precisar el sitio exacto del cerebro donde se ha producido el derrame y cuánto tiempo ha transcurrido, no sabremos qué posibilidades tiene de recuperarse.

Anna retrocede unos pasos, como si no pudiera seguir soportándolo, y pregunto a su madre si puedo llevármela fuera a tomar el aire.

Bajamos en el ascensor a la primera planta y la conduzco hacia la entrada. Fuera, el viento nos azota el pelo, pero nos acurrucamos juntos en un banco de cemento junto a un cenicero alto. Huele a lluvia reciente y a cigarrillos rancios.

—Quiero regresar. —No espero que conteste; me limito a exponerle el plan que he estado urdiendo desde que hemos dejado la librería—. Regresaré a esta mañana, iré a buscar a Brooke y la traeré para que te conozca, y entonces te diré qué le va a pasar a tu padre, ¿de acuerdo? Todo irá bien.

Anna niega con la cabeza.

—¿Y los efectos secundarios? La última vez te costó veintidós horas que nunca has podido explicarte. ¿Y si lo intentas y salimos todos rebotados hacia alguna parte? ¿Y si perdemos esas horas y no encuentro a mi padre cuando lo he hecho? No puedes interferir con eso, Bennett.

La oigo, pero eso no me impide repasar las situaciones más sencillas. Si regresáramos a la librería, no sé qué le pasaría a Anna. Si volviéramos a la carrera de esta mañana, no sé qué le ocurriría a Brooke.

—Basta —dice, como si se percatara de que aún estoy buscando un modo de hacer que funcione—. Escucha. Me prometiste que me avisarías si alguna vez perdías el control. Pero por lo visto tengo que ser yo quien te avise a ti. —Anna me mira a los ojos—. No controlas la situación. No puedes arreglar esto.

Se me encoge el estómago. Dios, ojalá supiera cuánto deseo hacerlo. Que haría cualquier cosa por arreglarlo. Pero tiene razón. No puedo. Esta vez hay demasiado en juego. Ya no controlo la situación. No a menos que me atenga a las normas.

Anna frunce los labios y me pasa el pulgar por la mejilla.

—No debes cambiar las cosas, ¿recuerdas?

Entonces apoya la cabeza sobre mi hombro. Los dos nos quedamos así un buen rato, escuchando el sonido de las puertas automáticas al abrirse y cerrarse de golpe cuando la gente entra y sale del edificio.

Le digo que lo siento varias veces más, y ella me responde que no lo sienta. Pero no le digo lo que estoy pensando en realidad. Si yo no hubiera venido aquí hoy, ella habría vuelto a casa con su padre en vez de con Brooke y conmigo. Habría dispuesto de tres horas en el coche con él. Tres horas para darse cuenta de que algo iba mal.

Esas tres horas habrían sido del señor Greene, y yo se las he robado.

Hoy, después de encontrar a su padre en la librería, ambos nos hemos planteado una sola pregunta: «¿Y si pudiéramos rehacerlo?» No hemos pensado ni una sola vez: «¿Y si no hubiéramos cambiado nada desde el comienzo?»

Cuando Justin y yo dejamos el hospital, el viento nos azota el rostro. Nos ajustamos el abrigo mientras andamos, con la cabeza agachada, hacia su coche. Él sube primero y abre mi puerta.

—¿Estás bien para conducir en estas condiciones?

Me lanza una mirada y gira la llave en el contacto.

—Sí.

Y eso es lo último que dice en los treinta kilómetros siguientes. Cada vez que le miro, tiene una expresión extraña en la cara y los nudillos blancos de asir el volante con tanta fuerza. Estamos siguiendo Lake Shore Drive, a la velocidad máxima permitida o algo menos, pero el viento sopla de lo lindo. Cada vez que golpea el lateral del coche da la impresión de que está a punto de cerrar los dedos alrededor de este ligero Honda Civic y arrojarlo directamente al lago Michigan.

Trato de entablar conversación:

—No sabía que tenías coche.

—Lo conseguí después del verano. —Gira por una calle lateral—. Es bonito, pero es ligero. Cuando llegue la nieve, tendré que cargar el maletero de sacos de arena para que no patine.

Ahora que hemos dejado Lake Shore y circulamos contra el viento, el coche parece algo menos escurridizo. Veo que Justin relaja ligeramente los hombros y desenrosca los dedos. Quita una mano del volante y se aprieta la nuca.

—Le conozco desde que era pequeño —dice Justin, con una voz más grave que de costumbre—. Nuestros padres han jugado juntos al *bridge* cada dos sábados por la noche desde que puedo recordar. —Respira hondo—. Es muy sano, ¿sabes? Más sano que mis padres. Dios, lleva años tratando de convencer a mi padre de que salga a correr con él.

—Lo sé —digo.

Naturalmente, no lo sé. No he oído nunca nada de esto. Pero no tengo ni idea de qué decirle ahora mismo.

—Todo esto es muy extraño...

Justin deja la frase inacabada cuando dobla otra esquina, y resisto el impulso de decirle que estoy seguro de que el señor Greene se pondrá bien, porque no tengo modo de saberlo y podría ser que no. El aire dentro del coche está impregnado de tensión, y Justin sigue mirándome como si me tocara hablar.

No hace mucho que conozco al señor Greene. No poseo años de anécdotas recogidas que confirmen su incidencia en mi vida ni nada parecido. Solo sé que me cae bien, que es una buena persona y un buen padre, y que no se merece estar conectado a unas máquinas en este momento.

Justin exhala una bocanada de aire sobre el parabrisas del coche.

—Dicen que podría estar perfectamente bien y recuperarse del todo, pero no puedo menos que sorprenderme. —Cuando se detiene ante un semáforo, se vuelve hacia mí—. Quiero decir que no sé nada sobre derrames cerebrales, pero parece muy poco probable que no haya ningún daño en su cerebro. Ha tenido que estar sin sentido durante por lo menos..., ¿qué creía la médica? ¿Veinte..., veinticinco minutos?

Esa es la parte en la que no puedo pensar, y mucho menos de la que hablar. Anna y yo bajábamos por la calle durante esos veinte minutos. ¿Y si hubiera habido una plaza de aparcamiento delante de la librería? ¿Y si no nos hubiéramos entretenido a tomar café? ¿Y si no hubiera venido aquí hoy?

—Supongo que sabremos más cosas mañana, cuando salgan los resultados de las pruebas.

—Supongo. Pero, tío, ¿no te hace desear tener clarividencia o algo así? Quiero decir... si pudiéramos saberlo, ¿no?

Cuando el semáforo cambia a verde, aparta la mirada de mí, negando con la cabeza como si fuera una idea ridícula.

El cerrojo de seguridad se abre con un fuerte chasquido. Entro de puntillas y cierro la puerta a mi espalda, agradecido al descubrir que la casa está silenciosa y a oscuras, a excepción del resplandor de la luz que Maggie siempre deja encendida sobre el escritorio.

Arrastro los pies sobre el suelo de madera noble y me cuesta mucho más esfuerzo subir las escaleras. Mi cerebro está demasiado activo, pero mi cuerpo se muere de ganas de tumbarse en la cama.

Voy directamente al cuarto de baño, donde me echo

agua fría en la cara y observo mi reflejo. Tengo la piel pálida y los ojos inyectados en sangre, con los párpados medio cerrados pese al choque frío que acabo de administrarles. Apago la luz y regreso a mi habitación.

Debería haber insistido en quedarme con Anna en el hospital, aunque la mirada de su madre ha dejado muy claro que no me quería allí. Por enésima vez esta noche, me imagino la expresión de Anna cuando me ha dicho que no podía regresar, y me pregunto si estoy haciendo lo correcto al no intentarlo siquiera. Sobre todo cuando me acuerdo de cómo ha parpadeado el señor Greene al mirarme.

Pero de todas las cosas que han ocurrido esta noche, de todas las cosas que se han dicho, las palabras de Justin son las que me obsesionan y me mantienen en vela.

Ha dicho que deseaba poder ver el futuro, sin tener la menor idea de que yo sí puedo.

Ya no puedo resistirme más, así que a mi pesar saco mis botas pesadas del fondo del armario y me las pongo, luego me enfundo el chaquetón negro y me calo la gorra de lana hasta las cejas. Lleno mi mochila con agua embotellada y un fajo de billetes.

No cambio nada. No manipulo el reloj ni rehago nada. Tan solo observo, como he hecho siempre. Esta vez no infringiré las normas, y cuando haya terminado nadie podrá saber qué he hecho.

La doctora ha dicho que requeriría tiempo y paciencia; que aunque se restableciera del todo, seguramente llevaría uno o dos años. Teniendo presentes sus palabras, me sitúo de pie en el centro de mi habitación y cierro los ojos.

Visualizo la pintura amarilla que se está agrietando y desconchando en el lateral de la casa de los Greene y vacío mi cabeza de todo lo que no sea la fecha de hoy: 15 de noviembre.

Escojo una hora a la que sé que estaré en casa: las seis y media de la mañana.

Y elijo un año de mi pasado, pero del futuro de Anna: 1997.

30

Llego al lateral de la casa de Anna, exactamente allí donde había previsto, y espío despacio desde detrás de la esquina. La última noche ha debido de nevar, pero no mucho. Aún puedo ver briznas de hierba asomando a través de la fina capa de hielo que recubre el césped. Me siento demasiado abrigado con mi gruesa indumentaria de invierno.

Al mirar a través de la ventana, compruebo que la cocina parece exactamente igual: los mismos electrodomésticos, los mismos taburetes. Puedo ver la cafetera perfectamente, en el mismo sitio que ha ocupado siempre. Miro alrededor, esperando que aparezca alguien y preparado para agachar la cabeza al instante cuando lo haga.

A estas horas, Anna debe de estar en la universidad, pero es un buen momento para sorprender al señor Greene preparando el café matutino.

Oigo abrirse la puerta principal y echo un vistazo desde detrás de la esquina cuando unas pisadas aterrizan sobre el porche. Los pies parecen de un hombre, pero la puerta me tapa la vista y no puedo saberlo. El periódico desaparece y la puerta vuelve a cerrarse. Corro a mi puesto de observación en la ventana.

El señor Greene entra en la cocina y se dirige hacia la encimera. Despliega el periódico, le saca unas páginas y echa el resto del diario sobre la mesa de la cocina.

Cuando se aleja de la encimera, reparo en la ligera cojera en su lado derecho. Delante de la cafetera, maneja su mano derecha con torpeza, y cuando intenta usarla para abrir la bolsa del café no tarda en rendirse y en emplear la mano izquierda y los dientes en su lugar.

Mientras hierve el café, estira un brazo hacia el armario alto y saca dos tazones. Se dirige hacia el frigorífico y regresa con un envase de leche.

Se dispone a devolverlo a su sitio cuando Anna aparece por la esquina. Le pone una mano sobre el hombro, le coge el envase y se lo lleva. Luego le planta un fugaz beso en la mejilla y se dirige hacia la encimera en busca de su tazón.

Lleva el pelo más corto, colgando suelto hasta la altura de los hombros. Viste vaqueros y una sudadera. Tardo un momento en darme cuenta de que pone NORTHWESTERN *CROSS* COUNTRY y en atar los cabos. Anna aún vive aquí.

El señor Greene vuelve a encaminarse hacia el periódico, y Anna se le adelanta y lo coge primero. Le pasa una parte, que él dobla por la mitad y la usa para pegarle en el brazo. Ella se ríe, pero puedo oír a su padre a través del cristal mientras le dice que deje de ayudarle.

Al cabo de unos minutos suena el timbre, y cuando miro por detrás de la esquina descubro a Justin de pie en el porche. Lleva una gorra de béisbol y la mochila colgada sobre un hombro. La puerta se abre y Anna grita: «Adiós, papá», antes de salir y cerrarla a su espalda. Ambos enfilan la acera de camino hacia la universidad.

He visto todo lo que tenía que ver. Cierro los ojos y me traslado a mi habitación en casa de Maggie.

Me palpitan las sienes. Me siento en el suelo junto a mi cama y busco el agua dentro de mi mochila. Vacío las dos botellas sin parar y cojo un Frappuccino a temperatura ambiente. Cuando la botella está vacía, recuesto la cabeza contra la cama y espero a recuperarme.

Siento dolor, pero los síntomas se parecen más a los habituales —una fuerte jaqueca y la boca seca—, aunque sin hemorragias nasales, sin sonidos penetrantes y, lo más importante, sin perder el control de mi sitio en la cronología. He logrado permanecer en 1995, he ido con éxito a 1997 y he vuelto a 1995 ileso.

Me quedo allí, imaginándome al señor Greene deambulando por la cocina, a Anna ayudándole y cómo él la ha regañado por hacerlo. Está bien. No ha recobrado la normalidad pero está vivo, capacitado y visiblemente en buenas manos. Y aunque sé que se siente aliviado en parte de que Anna siga viviendo en casa, estoy seguro de que por otro lado se siente culpable, a sabiendas de que Northwestern no fue nunca su primera opción.

Me pesan los párpados y me muero de ganas de cerrarlos y sumirme en el sueño. Pero justo cuando empiezo a adormilarme, algo que ha dicho la médico esta tarde me despierta de golpe. Ha dicho que la recuperación sería lenta. Que podría llevar años. Su comentario me hace preguntarme qué habría podido ver si hubiera avanzado aún más lejos. Quizá mañana tendré una información más fiable para Anna.

Me levanto y vuelvo al centro de la habitación. Golpeo las botas contra el suelo hasta que se ha desprendido toda la nieve. Cierro los ojos y me imagino una fecha del futuro en la que sé que Anna ya no vivirá en casa, pero sin duda estará de visita: la Nochebuena de 2005.

31

Me he equivocado de casa.

El camino de entrada está en el sitio justo. La ventana de la cocina está allí donde debería. Rodeo el edificio hasta la fachada y levanto la mirada hacia la ventana de Anna. Me encuentro en el lugar adecuado, pero la casa ya no está recubierta de pintura amarilla y desconchada. Ahora está pintada de gris oscuro con ribetes blancos. Parece hermosa.

Debe de haber nevado hace pocas horas, porque mis pies se hunden profundamente en un polvo blanco y ligero que no tiene el aspecto ni la textura de la nieve que recuerdo. Me cubre los vaqueros hasta las espinillas, y noto que se me enfrían los dedos de los pies dentro de las botas de invierno.

Miro a través de la ventana. También la cocina parece distinta, recién pintada y con armarios nuevos, encimeras de granito nuevas y un montón de electrodomésticos nuevos. Podría ser obra de otros propietarios. Pero entonces me fijo en que los taburetes son exactamente los mismos, y sonrío cuando evoco la primera vez que vine a casa de Anna y me instalé allí, examinándola detenidamente en busca de señales de miedo mientras desaparecía delante de sus propios ojos.

La madre de Anna entra, escondo la cabeza debajo del alféizar y cuento hasta cinco. Entonces vuelvo a echar una mirada dentro, observándola mientras mete las manos en el horno y saca una fuente de asado. Deambula por la cocina, removiendo cacerolas sobre los fogones e introduciendo rollitos en el horno.

Empiezo a preocuparme por el padre de Anna cuando este entra en la estancia y mete un dedo en una cacerola. La señora Greene le golpea la mano con la cuchara de madera que acaba de sacar de la salsa y prácticamente puedo oírla cuando le dice que se vaya. No puedo oír la respuesta de su marido, pero le hace echar la cabeza hacia atrás entre risas.

Le observo cruzar la cocina en dirección al comedor y reparo en una leve cojera. Cuando vuelve lleva una bandeja de plata, y la deja sobre la encimera. Cuesta trabajo apreciarlo desde mi posición, pero da la impresión de que sus manos funcionan como deberían.

Entonces oigo unos neumáticos crujiendo despacio sobre la nieve. Unas luces se reflejan en la nieve del jardín de delante, y me quedo inmóvil mientras veo un coche accediendo al camino de entrada. Salgo de la parte posterior de la casa y me escondo detrás del enorme roble para ver mejor. Llego justo a tiempo de presenciar cómo Anna baja del coche.

La puerta del conductor se abre y alguien más aparece alrededor de la parte delantera del vehículo. Las luces de la casa iluminan perfectamente el rostro de Anna, y estoy lo bastante cerca para distinguir cada detalle, pero él está en la sombra, y lo único que puedo verle es el cogote. Le da la mano despreocupadamente, como si lo hubiera hecho un millón de veces. Después la besa. Dice algo que la hace sonreír. Se me oprime el pecho y tomo aire.

Es una sonrisa que conozco bien. Creía que era a mí a quien la reservaba, pero aquí, en 2005, parece que le pertenece a él.

Ambos se dirigen hacia el porche, cogidos de la mano. Antes de alcanzar el primer peldaño, el señor Greene abre la puerta de par en par y levanta a Anna entre sus brazos. Ella ríe y dice: «Hola, papá», antes de volver a tocar el suelo.

El señor Greene se vuelve hacia el chico y dice algo que no puedo oír desde esa distancia. Le atrae para darle un abrazo paternal y le da unos golpecitos en la espalda. Le suelta pero deja un brazo sobre su hombro, y a continuación conduce a ambos al interior de la casa. La puerta se cierra tras ellos.

Cruzo el césped hacia el camino de entrada y busco dentro del coche algo que me diga quién es y de dónde han venido, pero el interior está completamente vacío. Rodeo la parte trasera del vehículo, miro la matrícula y veo una pegatina de la empresa de alquiler de coches en la esquina. Han venido en avión desde algún sitio. O por lo menos él.

Vuelvo sobre mis pasos hasta regresar a mi posición debajo de la ventana de la cocina. Debo de ser masoquista, porque una vez que me levanto en la esquina y miro dentro, me siento atrapado. Quiero dejar de observarlos, pero soy incapaz.

No se ve al chico por ninguna parte, pero tengo una vista perfecta de Anna de pie en el centro de la estancia, con sus padres felizmente atareados a su alrededor. Dios, tiene un aspecto increíble. Vuelve a llevar el pelo largo, y esta noche se lo ha recogido con una horquilla en la nuca. No puedo dejar de mirarla.

Revolotea por la cocina como hacía antes, partiendo chuscos de pan, hundiendo el dedo en las salsas y cerrando los ojos cuando el sabor le impregna la boca. Se vuelve y dice algo a su padre, que se troncha de risa.

Ahora, Anna está sentada en un taburete de espaldas a mí. La señora Greene deja una bebida sobre la encimera frente a ella y veo que Anna se lleva el vaso a los labios.

Él ha vuelto. El chico que ha traído a casa con ella regresa a la cocina y va derecho hacia el frigorífico. Anna me lo tapa y cambio de posición para intentar ver mejor, pero golpeo sin querer el cristal de la ventana. Anna se vuelve en su asiento y yo arrimo la espalda contra el lateral de la casa.

—Lo he visto otra vez, papá. —Está lejos y suena amortiguada, pero puedo distinguir sus palabras, y su voz se hace más fuerte y más nítida cuando ahueca una mano contra la ventana y habla—. Hay alguien ahí fuera, lo juro.

El corazón me late con fuerza contra la caja torácica y necesito hasta el último gramo de autodominio para permanecer inmóvil y en silencio. Está allí mismo. Quiero decir algo. Quiero levantarme, mirarla a la cara y ver cómo reacciona. Tiene que haber algo que pueda decir para hacerla salir, cogerle las manos y llevarla a un sitio más cálido en el que podamos pisar arena y hablar. Tengo que saber quién es ese tipo, qué está haciendo en su casa y por qué le mira de ese modo. Tengo que saber qué nos ha pasado y cómo impedirlo.

Oigo la voz de su padre, baja y clara.

—¿Qué es?

—No lo sé, pero lo juro, veo algo moviéndose ahí fuera.

—Estoy seguro de que no es nada —responde él—. Quédate aquí. Saldré a comprobarlo.

Me vuelvo en busca de algún sitio donde ocultarme, pero no hay ninguno. Oigo la puerta principal al abrirse y cerrarse de golpe, seguida de unos pasos tenues sobre el porche de madera.

Me invade el pánico y cierro los ojos.

Cuando los abro, estoy de vuelta en mi habitación en casa de Maggie. Estoy sentado en mi cama con la cabeza a punto de estallar y el estómago encogido, sabiendo que el señor Greene ha descubierto todas mis huellas y preguntándome qué ha sucedido cuando lo ha hecho.

32

Hoy el hospital está más concurrido. Salgo del ascensor y entro en la sala de espera, y me lleva un minuto entero localizar a Anna. Por fin la veo, sentada en una silla contra la pared del fondo, con su madre a un lado y Justin al otro, dándole la mano. Emma está sentada junto a él, con los brazos cruzados sobre el pecho y los ojos fijos en el techo.

No hay ningún sitio en el que sentarme, pero de todos modos me dirijo hacia ellos. Tan pronto como llego, Justin se levanta.

—Eh. —Me indica el asiento—. Coge el mío. Al fin y al cabo ya me iba.

Anna se levanta a su lado y le echa los brazos a los hombros, y Justin la estrecha con fuerza, con los ojos cerrados mientras le acaricia la espalda.

—Llámame luego, ¿vale? O mejor aún, pasa por la tienda. Estaré allí hasta tarde.

Anna le besa en la mejilla.

—¿Señora Greene? —Oigo la voz a mi espalda, y cuando me vuelvo encuentro a la médico de ayer allí de pie—. Usted y su hija pueden verle, pero que sea una visita corta.

Anna me da la mano cuando pasa por mi lado y me la aprieta. Ella y su madre siguen a la doctora fuera de la sala y yo me siento junto a Emma. Dejo que mi cabeza se recline contra la pared.

—¿Cómo está hoy?

—Mejor, parece. Ha recobrado el conocimiento durante la noche. Los resultados de las pruebas son esperanzadores, pero ha perdido todas las funciones del lado derecho. —Me imagino al señor Greene utilizando los dientes para abrir una bolsa de granos de café. Emma se frota la frente con las yemas de los dedos—. Pero creen que, a la larga, se recuperará del todo.

Esto es una buena noticia, pero a Emma le tiembla el labio inferior y me doy cuenta de que está conteniendo las lágrimas.

—¿Te encuentras bien? —le pregunto.

—¿Yo? —Respira hondo y se pasa las puntas de los dedos por las mejillas—. Debería hacerte yo esa pregunta, Shaggy. Tienes un aspecto horrendo.

Creía que tenía un aspecto aceptable a tenor de todo lo que he vivido durante las últimas quince horas, pero entonces me llevo las manos a la cara, me palpo la espesa barba y caigo en la cuenta de que aún visto la misma ropa de ayer.

—Estoy bien —miento.

Emma respira hondo y se endereza en su silla, mirando la repleta sala de espera como si captara el feo mobiliario y las revistas apiladas sobre las mesillas por primera vez.

—Esto es muy extraño. No había estado nunca en un hospital. ¿Y tú?

Me imagino a Anna y a mí sentados en una sala de espera distinta en un hospital distinto —uno más próximo a Chicago y al escenario del accidente de coche de

Emma y Justin—, pero similarmente fea e igualmente desprovista de nada que parezca alegre.

—Sí, he estado en algunos.

—Es tan extraño... Tengo esta sensación, ¿sabes?, como si hubiera estado dentro de un hospital por lo menos una vez, aparte de haber nacido en uno, pero no creo que haya estado nunca. Nadie de mi familia ha estado nunca enfermo, ni me he roto un hueso ni nada... Toco madera —dice, golpeando el brazo de la silla con los nudillos. Entonces se estremece—. Este lugar me produce escalofríos.

Nunca vi a Emma después del accidente, pero Anna me lo contó todo. Es imposible mirarla ahora sin imaginársela en aquella habitación esterilizada de hospital, arañada y suturada por fuera, destrozada y aún sangrando por dentro. Emma jamás sabrá lo que hice por ella y yo jamás querré que lo sepa.

Vuelve a pasear los ojos por la sala y se inclina hacia mí.

—¿Puedo preguntarte una cosa?

—Claro.

Se acerca todavía más, apoyando los antebrazos en mi silla.

—¿Crees que Justin está colado por Anna?

—¿Por Anna? —No pretendía que me saliera en un tono de voz como diciendo «mi Anna», pero creo que así es—. No. Quiero decir, son amigos. Se conocen de toda la vida. Para Anna es como un hermano.

—Ah, sí... desde luego. No estoy hablando de lo que siente Anna por él (en ese terreno solo estás tú), sino que me refiero a lo que él siente por ella. —Pasea la mirada por la sala de espera—. No importa. No debería haber dicho nada. Solo tenía curiosidad por saber tu opinión y estamos aquí, los dos solos, atrapados en este maldito hospital.

—Golpetea las uñas, pintadas de un rosa intenso, sobre sus vaqueros—. Solo que el modo en que la ha abrazado hace unos minutos parecía un poco «más que amigos». —Dice esto último marcando las comillas en el aire—. Eso combinado con todo ese asunto del casi beso...

Ladeo la cabeza y la miro.

—¿Qué es el «asunto del casi beso»?

Frunce el ceño mientras elige sus palabras con mayor cuidado.

—Ya sabes. Después de que te fueras de la ciudad la pasada primavera. —Debe de percatarse por la expresión de mi cara que oigo esto por primera vez, porque se tapa la boca con la mano y se apresura a apartarse de mí—. Anna me dijo que lo sabías. Dio a entender que no tenía importancia.

Jamás me lo dijo. Y puede que no tuviera importancia. Si esta conversación hubiera tenido lugar ayer, me habría reído, pero viniendo a renglón seguido de lo que vi anoche, quizá me siento un poco demasiado susceptible al respecto.

—Justin se emborrachó un poco en mi fiesta de cumpleaños, y es posible que me aprovechara de la situación, porque finalmente decidí preguntarle qué sentía por ella, ¿sabes? Para ver qué decía. —No estoy seguro de querer oír esto, pero sigue hablando y no la detengo—. Al principio juró que solo eran amigos, pero luego me dijo que, después de que tú te marcharas la pasada primavera, un día estaban juntos en la tienda de discos y casi se besaron.

Se encoge de hombros, como dando a entender que no está molesta por ese incidente, pero puedo ver por la expresión en su cara que sí lo está.

—Pero no te enfades. No fue culpa de Anna. Justin intentó besarla..., eso lo dejó muy claro. Quiero decir, si tú no tuvieras nada que ver con esto, quién sabe, pero...

Rebobino a lo que vi anoche cuando fui a 1997. Cómo Justin recogió a Anna en su casa, y los dos se marcharon a la facultad juntos. Y entonces pienso en el chico con el que la vi ocho años más tarde. El tipo al que besó en el camino de entrada de su casa. Ni siquiera había contemplado la posibilidad de que podía ser Justin, pero ahora no puedo quitarme esa idea de la cabeza. No creo que ese chico fuera pelirrojo, pero tampoco llegué a verle bien en ningún momento. Recuerdo cómo el señor Greene le dio un abrazo paternal y le condujo al interior de la casa.

—Todo esto es completamente parcial... —Emma se interrumpe y suelta una carcajada cínica—. Lo cual debería haber sido mi primera pista, ¿no? —Imita mi postura, con la cabeza contra la pared y las piernas extendidas delante de ella—. No sé por qué sigo esperando, como si me conformara con ser su premio de consolación.

Se dispone a decir más. Ojalá no lo hiciera. Ahora mismo adolezco del vigor suficiente para pensar en nada de esto y tengo cosas mucho más importantes en la cabeza. Antes de que Emma pueda hablar de nuevo, Anna y su madre regresan a la sala de espera y se sientan en las sillas que hay delante de nosotros.

—Nada nuevo, me temo —dice la madre de Anna mientras se enrosca el pelo alrededor de un dedo y suelta un profundo suspiro.

Entonces, motu proprio, larga una historia sobre un paciente de apoplejía con el que trabajó hace años. Finjo escuchar antes de lanzarle una mirada a Anna, que, afortunadamente, ella entiende.

—Volvemos enseguida, mamá —dice.

Me da la mano y me conduce por el pasillo hacia las máquinas expendedoras. Hurga en el bolsillo de sus vaqueros en busca de monedas.

—¿Quieres que compartamos una bolsa de doritos?

Se dispone a introducir un cuarto de dólar en la ranura, pero la detengo.

—Espera. Hay una cafetería al otro lado de la calle.

—¿Sí? —Se tapa la boca mientras bosteza—. Mira, parece buena idea.

Me pide que espere junto al ascensor mientras notifica a su madre adónde va, y vuelve sujetando su abrigo. La ayudo a ponérselo.

La cafetería no se parece en nada a la que frecuentamos, mucho más institucional que acogedora, con mesas metálicas y sillas a juego. Anna encuentra sitio junto a la ventana del rincón mientras yo voy a pedir en la barra. Al cabo de unos minutos regreso con un cuenco de sopa, un chusco de pan y un café con leche.

Anna coge el pan y le da vueltas entre las manos.

—Esto me recuerda París —dice. Me dirige una mirada triste antes de tomar un bocado—. Desgraciadamente, esto no sabe a aquella *baguette*. —Se queda mirando el pan, con un aire decepcionado—. Estoy convencida de que no volveré a probar nada tan delicioso.

No respondo. De hecho, apenas digo una palabra mientras se termina la sopa. Pero cuando hace una bola con su servilleta y la mete en el recipiente vacío, no puedo contenerme por más tiempo.

—Tengo que decirte algo —suelto prácticamente de buenas a primeras, y ella levanta la mirada hacia mí.

Seguramente debería haber planeado lo que me dispongo a decir, pero no lo he hecho. Ahora me limito a improvisar sobre la marcha confiando en que tenga sentido.

—¿Te acuerdas de anoche, cuando estábamos sentados fuera y me dijiste que no podía arreglar esto?

—Sí.

—Bueno, pues pensé en otra cosa que podía hacer.

Toma un sorbo de su café y espera a que continúe.

—Fui hacia delante.

Bosteza de nuevo antes de decir:

—No sé a qué te refieres.

—Fui hacia delante..., hacia tu futuro. Para ver qué le ocurre.

Levanta la cabeza bruscamente y trata de dejar su taza de café sobre la mesa, pero se le escapa de los dedos y golpea la superficie. Parte del café se derrama por el costado, y Anna coge su servilleta para limpiar el desorden. De repente se para y se queda mirándome.

—No quiero saberlo, ¿vale?

Asiento con la cabeza.

—Sí quieres. Son buenas noticias. Se pondrá bien.

Deja caer la servilleta mientras hinca los codos sobre la mesa y oculta el rostro entre sus manos. No sé si está llorando o riendo, o si se siente tan abrumada que hace ambas cosas a la vez.

—Llevará algún tiempo. En un par de años, aún cojeará y no podrá utilizar del todo la mano derecha, pero con el tiempo estará bien.

—¿Cuánto tiempo?

La miro.

—Lo siento, Anna. Ojalá pudiera decírtelo, pero no puedo.

—No, claro que no puedes. Está bien. —Mueve la cabeza con firmeza, como si se reprochara haberlo preguntado. Se acerca todavía más—. Aún no me puedo creer que hicieras esto —dice con excitación—. ¿Qué más quieres decirme?

Toma un buen trago de café, se lame la espuma de los labios y yo respiro hondo.

—Vi lo suficiente para saber que he cometido un error viniendo aquí. —Ya está. Lo he dicho—. No debería estar aquí, Anna. Está cambiando toda tu vida.

Aprieta las palmas contra la mesa para tranquilizarse.

—Para mejorar.

—Ya no estoy tan seguro.

Mira por la ventana y no dice nada.

—¿Qué es lo que no me dices, Bennett? ¿Qué viste? Me mira con fijeza.

—Os vi a ti y a tu familia con un futuro feliz. Y si te hablo más acerca de eso, es posible que no ocurra de ese modo.

Ya basta. Eso es todo cuanto puede saber. Una cosa más y podría cambiar lo que vi, y no puedo hacer eso.

—Bueno, es mi futuro. Quiero que formes parte de él. —Junta las cejas—. ¿Tú no quieres estar en él?

Asiento.

—Pero piénsalo —digo, sacudiendo la cabeza—. Si hubieras estado en el coche con tu padre ayer, habrías sabido que algo iba mal. Habrías visto los síntomas y le habrías llevado a un hospital más pronto. Puede que ni siquiera estuviera aquí ahora.

—Oh, vamos..., tuvo un derrame cerebral. Eso habría ocurrido de todos modos. Tú no hiciste nada malo.

—Estaba aquí, Anna. Contigo. Y no debería haber estado. Si yo no hubiera estado aquí, tú habrías estado con tu padre.

No esperaba sentirme así, pero cuanto más hablo con ella, más ira noto acumulándose en mi interior. Ahora mismo me parece estar furioso con todo el mundo. Con Emma, por contarme lo del casi beso de Justin y Anna, pues no quería saberlo, especialmente hoy. Con Anna, por hacerme creer que los rehacimientos estaban bien, simplemente porque la vida de su mejor amiga estaba en juego. Con mi padre, por dejarme creer que era más poderoso de lo que soy en realidad. Y conmigo mismo, por ir hacia delante y abrir una ventana a un futuro que jamás debería haber visto y que sin lugar a dudas no quiero que exista.

Y es egoísta, pero estoy enfadado porque empieza a dar la impresión de que cada vez que hago algo bueno por alguien, soy yo quien paga las consecuencias.

Respiro hondo y me preparo para mis siguientes palabras, las que han estado girando dentro de mi cabeza desde que volví de su casa la Nochebuena de 2005. Eso es. Si quiero asegurar la vida que vi para Anna, en la que es feliz sin mí, tengo que decirlo.

—Ya no volveré.

—¿Qué?

Trato de cogerle las manos, pero antes de que pueda hacerlo las aparta y se pone en pie. La silla metálica se vuelca detrás de ella y cae al suelo. Anna mira por encima del hombro como si pensara en levantarla, pero no lo hace. Gira sobre sus talones, se encamina hacia la puerta y sale al frío de la calle.

Para cuando la alcanzo, está en el bordillo, esperando una interrupción en el tráfico.

—Anna. Por favor.

Se para y se vuelve, con los brazos cruzados y las lágrimas resbalando por sus mejillas.

—¡No puedes hacer esto! —grita mientras los coches pasan a toda velocidad junto a nosotros—. No puedes hacerme esto. Prometiste que no te irías...

Ahora tiene toda la cara encarnada y las lágrimas brotan deprisa. Trata de enjugárselas, pero no le da tiempo.

La sujeto por un brazo, pero me lo suelta de un tirón.

—¡Vete! —grita—. Si eso es lo que quieres, ¡vete!

Siento que algo en mi interior se rompe.

—¿Lo que yo quiero? —le respondo a gritos—. ¿A qué te refieres con lo que yo quiero? ¿Cuándo ha consistido esto en lo que yo quiero? No tengo nada, ni una sola cosa, que yo quiera. ¿No lo entiendes?

En mi imaginación veo a Anna, de pie en el camino de entrada de su casa, sonriendo a ese tipo que no soy yo, y siento cómo la sangre me hierve en las venas.

—Verás, llego a probar un pedacito de todas esas cosas increíbles, pero no puedo retener ninguna. Llego a conocerte y a formar parte de tu vida, y llego a conocer a tu familia y tus amigos, pero no puedo quedarme con nada de eso. No puedo vivir aquí. Esta no es mi casa. Y cada vez que tengo que regresar, me mata. Cada... sola... vez. Y siempre lo hará.

—Bennett...

Anna vuelve a la acera y me empuja para apartarme del borde.

—No, espera. Es aún mejor. —Suelto una carcajada sarcástica y me llevo la mano al pecho—. Por fin encuentro algo que me hace sentirme a gusto con eso que sé hacer. Averiguo cómo salvar vidas. Llego a dar a unas cuantas personas que lo merecen una segunda oportunidad. Y eso sienta realmente increíble durante unos veinte minutos... hasta el instante en que empieza a darme hostias.

Suelto otra risotada.

—Ah, espera, ahora viene lo mejor. Cuantas más buenas acciones hago, más pierdo la única cosa que te prometí no perder: el control. Es como una espiral infinita y retorcida —digo, haciendo girar un dedo en el aire.

Anna respira hondo y frunce los labios con fuerza. Ahora llora todavía más, lo cual debería hacerme sentir fatal pero por alguna razón no lo hace.

—Mira —digo, llevándome la mano al pecho—. No llego a tener lo que quiero. Jamás. Porque lo único que quiero es una vida normal. No quiero ser especial y distinto, solo quiero despertar, ir a la escuela, hacer los deberes y correr en monopatín por el parque con mis amigos. Quiero que mi padre esté orgulloso de mí porque he sacado un sobresaliente en un estúpido trabajo, no porque he salvado la vida a unos niños. Quiero mirar por una ventana y pensar en lo cojonudo que sería poder retroceder en el tiempo, pero no quiero ser capaz de hacerlo de verdad. Y quiero estar enamorado de una chica a la que pueda ver todos los días, no cada tres semanas.

He estado gesticulando como loco con las manos, pero ahora que he terminado de vociferar, no sé qué hacer con ellas. Me paso los dedos por el pelo.

—Tengo que irme. Lo siento.

Regreso hacia la cafetería, pero antes de alcanzar la puerta noto que Anna me sujeta con fuerza por el brazo.

—Bennett, lo siento... No pretendía...

—¿Qué? ¿No pretendías convencerme de todo esto? —Las palabras se escapan sin más, aunque sé que no son ciertas, y me vuelvo a tiempo de ver cómo pone cara larga. Eso debería bastar para impedirme seguir hablando, pero no basta—. Si no me hubieras hecho ayudar a Emma, nunca habría sabido lo que podía hacer. Habría podido pasar el resto de mi vida asistiendo a conciertos y escalando rocas en lugares exóticos, sin preocuparme nunca de ser egoísta con mi aptitud, porque ¿sabes qué?, es mía. No tuya. Ni de mi padre. Mía.

Me golpeo el pecho con la palma de la mano.

—Eso ya lo sé... Nunca he pretendido...

—Estructuré mi vida en torno a una serie de normas, y luego las infringí por ti. ¿Y para qué? ¿Para poder ser mejor persona? —Resoplo exasperado—. ¿Cómo es mejor mi vida porque un desconocido no llegó a romperse la pierna y cinco personas están vivas cuando seguramente no lo estarían?

—Lo que hiciste estuvo muy bien. Y si fueras una persona normal, no nos habríamos conocido nunca.

—Sí…, bueno, creo que es así como debería ser.

Anna se aparta y me mira.

—No lo dices en serio, ¿verdad?

Por difícil que me resulte hacerlo, asiento con la cabeza.

Las lágrimas le resbalan por el rostro y no puedo mirarla. Tengo que irme de aquí.

—Necesito pensar, Anna. Tú necesitas pensar.

—Yo no necesito pensar.

—Pues deberías, porque esto es una locura. —Me acuerdo de las palabras que el señor Greene me dijo en la carrera de ayer: «Esto es ridículo. ¿De verdad crees que podéis mantenerlo?»—. Vamos, ¿en qué estábamos pensando? No podemos hacer esto constantemente.

Se seca la cara y se queda mirándome.

—Volveré a mi vida normal durante algún tiempo, ¿vale? Regresaré por Navidad —digo, como si esto mejorara la situación—. Tu padre se pondrá bien —añado, como si esto justificara mi marcha.

Anna recobra la voz, pero es baja y débil y tengo que esforzarme para oírla.

—Por favor, quédate.

Antes de que pueda añadir otra palabra, retrocedo dos pasos hasta que noto la esquina del edificio contra mi espalda, y sin importarme quién pueda estar mirando, cierro los ojos y desaparezco.

DICIEMBRE DE 2012

33

San Francisco, California

Me he pasado todo el trayecto hasta aquí mentalizándome para mi actuación, pero una vez que he franqueado la puerta principal de Megan se ha activado por sí sola. Puede que fuera la música alta o el rumor subyacente de conversaciones que llevaba de una estancia abarrotada a la siguiente, pero en cualquier caso lo he agradecido. Me he quedado en la entrada, he mirado alrededor y he aspirado el embriagador aroma de alegría festiva y padres ausentes. Me he recordado que no tenía que disfrutar realmente de participar en esta fiesta; solo debía representar mi papel.

Ahora soy todo sonrisas y palmaditas en la espalda, chistes breves y respuestas ingeniosas, actuando de un modo tan poco característico en mí últimamente que cuando Sam me ve, me lanza una mirada como diciendo: «¿Quién diablos eres ahora?» Puede que sea una mierda de superhéroe, pero resulta que soy un actor bastante decente.

—No hay duda de que estás más contento esta noche.

De toda la gente, esperaba que Brooke me calara, pero no debe de hacerlo porque detecto la amargura en su voz.

—Lo estoy —miento—. Y pienso estar de buen humor porque son las vacaciones de Navidad, tú has vuelto a casa de la facultad y yo estoy rodeado de buenos amigos y estoy harto de sentirme hecho una mierda. —Sonrío y tomo un trago de mi bebida—. Se acabó. A partir de ahora voy a vivir el presente.

Levanto mi vaso en el aire, brindando por nadie en concreto.

—Anoche estabas muy alterado.

Miro a los chicos que nos rodean para comprobar que nadie puede oírla, pero me percato de que es imposible. Apenas si puedo oírla por encima de la música.

Me inclino más cerca.

—Bueno, pues anoche marcó el final de mis excesos.

Brooke me mira y mueve la cabeza despacio. Después de que mis padres y yo la recogiéramos en el aeropuerto anoche, los dos estuvimos sentados en mi habitación hablando un buen rato. Entonces cometí el error de enseñarle el álbum de fotos de Anna. Íbamos por la mitad cuando tuve que dejar la estancia, y mientras ella hojeaba las páginas yo estaba en el cuarto de baño tratando de no vomitar. Regresé con los ojos ardiendo y las mejillas encendidas, le quité el álbum de las manos y lo metí en el cajón. No llegó a ver la última foto.

—No te ofendas —dice Brooke mientras da unos golpecitos a su móvil—, pero no sé cuánto tiempo más podré soportar esta fiesta de instituto. Kathryn acaba de mandarme un mensaje para saber si quería hacer algo, pero...

—¿Pero?

—Nada —contesta, sacudiendo la cabeza—. Supongo que he pensado que tal vez me necesitabas aquí esta noche, pero parece que te encuentras bien, así que... —Deja la frase inacabada y mira a su alrededor—. Saldré a llamarla. A ver qué pasa.

Brooke se aleja y veo a Sam y Lindsey juntos delante del fuego. Me dispongo a dirigirme hacia allí cuando la habitación se queda a oscuras.

—Feliz Navidad —me susurra una voz al oído.

Aparto un par de manos de mi cara y me vuelvo. Megan está allí plantada, luciendo un vestido rojo y una sonrisa radiante.

—Ya era hora de que vinieras a una de mis fiestas. —Abre los brazos, con las palmas hacia arriba, y pasea la mirada por la estancia—. ¿Qué, no te arrepientes de no haber venido antes?

Sonrío y asiento exageradamente con la cabeza.

—Estoy verdaderamente desolado. No tenía ni idea de lo que me estaba perdiendo.

—¿Verdad? —Sigue acercándose, gritando para hacerse oír sobre la música—. Y ahora tu vida es perfecta.

Me pone una mano sobre el brazo y la deja allí un rato demasiado largo. Cuando instintivamente retrocedo un paso, capta la insinuación y la retira.

—Bueno, ¿qué vas a hacer estas vacaciones?

Me encojo de hombros.

—No dejan de preguntármelo, pero me temo que no tengo una respuesta muy buena.

Ladea la cabeza.

—¿Cuál es tu respuesta?

—Pasar el rato —contesto de manera definitiva, cruzándome de brazos como si me sintiera orgulloso de no tener ningún objetivo. Megan niega con la cabeza como si la hubiera decepcionado y me encojo de hombros—. ¿Ves a qué me refiero? No apunto demasiado alto.

—No, no mucho.

Pienso en el único plan que tengo. Ese del que no puedo hablarle a ella, a Sam, a Brooke ni a nadie. El plan en el que ahora mismo no quiero pensar.

—¿Bennett? —dice Megan en sonsonete, moviendo una mano delante de mi cara—. ¿Sigues aquí? —pregunta.

Parpadeo velozmente.

—Sí. Lo siento. ¿Qué decías?

—Decía que yo también pasaré el rato. —Baja la vista al suelo un momento antes de mirarme a los ojos—. Decía que tal vez podríamos pasar el rato juntos.

Al principio no digo nada y Megan se queda mirándome, con las cejas levantadas y una expresión esperanzada, mientras considero su sugerencia. No es que la conozca mucho mejor que al final del pasado verano, pero recuerdo las palabras que le dije a Sam en el parque ese día y lamento mi respuesta. Megan es simpática. Es guapa. Y por lo que he averiguado sobre ella durante los últimos meses, no es nada boba. Además, Lindsey es increíblemente guay y le cae bien. No sé, quizá sea el momento de encontrar un «grupo de cuatro» que exista en 2012 y no en 1995.

—Tal vez —le digo.

Entonces oímos un estruendo a lo lejos, procedente de la cocina.

—Huy, ese ruido no me ha gustado. Más vale que vaya a ver qué se ha roto. —Vuelve a rozarme el brazo y añade—: Hasta luego.

Se abre camino a empellones entre la gente y sale de la habitación.

Tan pronto como desaparece, se me encoge el estómago. No quiero a Megan ni quiero otro «grupo de cuatro». Quiero a Anna. Aquí. Ahora. Para no tener que despertarme mañana con el pecho oprimido y la mente confusa, ni acostarme hoy mareado porque no puedo dejar de visualizar aquella horrible expresión en su rostro la última vez que la vi.

—Kathryn viene de camino. —Levanto la mirada y veo a Brooke delante de mí, todavía golpeteando el cristal de su móvil con los pulgares—. Creo que iremos a... —Se para en seco cuando me ve, con una mano crispada sobre mi frente y la cara cada vez más sonrojada—. ¿Qué ha pasado?

Tengo que salir de aquí. Necesito aire.

—¿Quieres irte? —pregunta, mirándome fijamente a los ojos, y asiento enseguida.

Aunque es invierno, aún no he quitado la capota de tela del Jeep. Durante el último mes he estado conduciendo así la mayor parte del tiempo: capota bajada, viento frío, música alta, calefacción a tope. Salgo de la plaza de aparcamiento que he encontrado a pocas manzanas de la casa de Megan y me alejo.

—¿Te apetece hablar...? —empieza a decir Brooke, pero la corto con un brusco «No».

Con el rabillo del ojo, veo los dedos de Brooke deslizándose sobre la pantalla, y solo puedo suponer que está escribiendo a Kathryn para informarle de su cambio de planes. Me pregunto si tiene una tapadera o le dice la verdad: «Mi hermano está hecho polvo. Tengo que quedarme.»

Su atención debe de pasar del teléfono a la música, porque cuando corono la siguiente colina pregunta:

—¿Qué te parece Coldplay o reproducción aleatoria?

Le sale en forma de pregunta, pero de todos modos cuando Brooke está en el coche rara vez tengo voz y voto en lo que respecta a la música. No es que me importe. Me trae sin cuidado lo que escuchemos, siempre y cuando le impida pensar que el silencio es incómodo y le toca llenar el vacío.

—Oh, buena canción —dice, subiendo el volumen.

Reclina el asiento hacia atrás y se queda mirando al cielo. No sé qué es. Me limito a conducir, escuchando la letra.

¿Sabe alguien pilotar esta nave?
Antes de que la cabeza me zumbe o estalle.

Noto que Brooke gira la cabeza para mirarme de vez en cuando, pero no hago caso y mantengo los ojos fijos en la calle que tengo delante, sujetando el volante con fuerza. Ahora nuestra casa dista solo a una manzana. Es temprano. No me apetece nada ir a casa. Y esta canción tiene razón. Anna y yo hemos estado viviendo la vida dentro de una burbuja.

—¿Te importa que siga conduciendo un rato? —pregunto a mi hermana.

Coloca los pies sobre el salpicadero y se reclina aún más atrás.

—Esperaba que lo hicieras. Me gusta esta vista —dice contemplando el cielo a través del techo abierto.

En vez de girar a la izquierda hacia nuestra casa, tuerzo a la derecha en dirección a la Great Highway.

El aparcamiento de Ocean Beach está oscuro y desierto, y me detengo en un sitio frente al Pacífico. Giro la llave hacia atrás en el contacto, apagando el motor sin silenciar la música. Permanecemos callados un buen rato.

Finalmente, Brooke habla:

—¿Por qué haces esto, Bennett?

Me recuesto sobre el reposacabezas y suelto un profundo suspiro.

—No, por favor... Esta noche no.

Brooke se vuelve en su asiento para mirarme.

—En una cronología completamente distinta que ya

no existe, Anna vino a buscarte, ¿recuerdas? Porque creía firmemente que debías formar parte de su vida. ¿No significa nada eso?

Me encojo de hombros.

—Creía que sí, pero no..., por lo visto no significa nada.

Llevo meses sin mirar esa página de mi libreta, pero no tengo necesidad. He leído aquellas palabras de su carta tantas veces que me las sé de memoria. «Algún día, pronto, nos encontraremos. Y entonces te irás para siempre. Pero creo que puedo arreglarlo...»

—Estás haciendo que esto sea más complicado de lo que es, Bennett.

—Es muy complicado, Brooke.

—No. La viste con otro tío y te acojonaste.

—Creo que hay algo más que eso.

Brooke se queda mirándome.

Fijo los ojos en el cielo y me meso los cabellos.

—Mira, ya sabes qué vi. Tendrá una vida mejor sin mí. Cada vez que vuelvo allá, no hago más que apartarla del futuro que debe tener.

—Pero ese no es el futuro que quiere. —Brooke se aparta el pelo detrás de las orejas y se inclina sobre el salpicadero—. Además, ¿quién dice que no volverá a hacerlo de todos modos? La viste feliz en 2005, pero cuando llegue a 2011 podría tomar la misma decisión de la última vez: volver a buscarte de nuevo.

—¿Por qué? ¿Porque estamos destinados a estar juntos o algo así?

—No lo sé. Quizá sí.

—Eres una romántica.

—Puede. Pero también soy bastante lógica. —Dejo caer mi cabeza a la derecha y la miro fijamente—. Lo que viste no importa porque ese futuro no es inamovible y lo sabes. Todas y cada una de las decisiones que hayas tomado desde aquel momento están cambiando lo que viste.

—Bah, no cambian nada.

—Si no formas parte de su vida, nunca lo sabrás. —Brooke no me quita los ojos de encima—. Ve a hablar con ella.

Sé que tiene razón. En el pasado ya estuve más de un mes sin hablar con Anna, y fue insoportable. No me puedo creer que esta vez lo haga por decisión propia. Apoyo los codos sobre el volante y sostengo la cabeza en mis manos.

—Lo haré.

—Eh —dice, y tuerzo el cuello para mirarla—. Ahora.

—No iré ahora mismo.

Brooke sube la calefacción y se frota las manos delante de la rejilla de ventilación.

—Estaré bien aquí. Vuelve dentro de unos veinte minutos. Esperaré.

—No iré ahora mismo —repito, esta vez despacio y con más énfasis sobre cada palabra, porque por lo visto no me ha oído antes.

—Bennett... —dice, casi en un susurro—. Anna está allí atrapada, esperándote. —Me mira con tristeza, como si estuviera disgustada por lo que ocurrió entre nosotros dos. Pero entonces dice—: ¿Cómo pudiste...? —y se interrumpe sin acabar su pensamiento.

Pero no tiene que añadir nada más. No tengo más que mirarla, y aunque nunca antes he visto esa expresión en su cara, sé exactamente qué piensa. Está avergonzada de mí. Y debe estarlo. Tiene razón. ¿Cómo pude hacerle eso a Anna?

Tengo que ir. Ahora. Además, esta noche la he estado echando muchísimo de menos.

Sin darme más tiempo para pensar en ello, cojo mi chaqueta de lana del asiento trasero y me la pongo. Cierro los ojos y me imagino el único sitio en el que sé que encontraré a Anna completamente sola.

34

El sol apenas asoma sobre el horizonte cuando llego a la pista de atletismo de la Northwestern University. A diferencia de todas las demás veces que he estado aquí, hay solo una fina capa de nieve sobre los bancos metálicos, y cuando utilizo la mano para retirarla, una ráfaga de viento hace salir copos volando en todas direcciones.

Veo a Anna enseguida. Está en la pista, tomando las curvas a toda velocidad, estirando las piernas en largas zancadas e impulsando los brazos con fuerza a los lados. No sé qué está escuchando en su Discman, pero veo que mueve los labios y eso me hace sonreír.

Sale de la curva a la larga recta de la pista, delante de mí, pero tiene los ojos clavados en el suelo como abstraída en sus pensamientos. No me muevo, pero algo debe de llamarle la atención, porque cuando está a punto de tomar la siguiente curva echa una mirada de soslayo hacia las gradas.

Me ve, pero tarda unos segundos en demostrarlo. Afloja el paso hasta detenerse al pie de las escaleras, mientras me mira con los ojos entrecerrados como si fuera perfectamente posible que tuviera alucinaciones. Levanto la mano y la saludo.

Anna sube las escaleras a la carrera, de dos en dos, pero cuando llega a la cuarta fila se detiene y no se acerca más. Sé por la expresión de su cara que debo quedarme donde estoy.

—¿Qué haces aquí? —Se quita los auriculares y se los echa detrás de la nuca, sin apartar los ojos de mí en ningún momento—. Creía que vendrías en Navidad. Aún faltan cuatro días.

Habla con voz temblorosa; no se parece en nada a la suya.

—Así es. Pero... esto no podía esperar.

Anna mira a la pista y luego a mí. Frunce los labios.

—¿Qué no podía esperar?

—Te debo una enorme disculpa. —Sacudo la nieve del banco situado a mi lado—. ¿Quieres sentarte?

Se dirige hacia mí pero se para en seco. Abrazándose el pecho, baja los ojos al helado banco y niega con la cabeza.

—Solo quería decirte cuánto lamento lo de aquel día... en el hospital... Estaba tan... No sé por qué me enfadé tanto.

Suspira.

—Ojalá me hubieras dejado explicarme —dice en voz baja.

Es evidente por la expresión resuelta de su cara que tiene algo importante que decirme, así que, aunque no creo que me deba ninguna explicación, guardo silencio y la dejo hablar.

—No pretendía presionarte tanto para que rehicieras las cosas. No intentaba en ningún momento obligarte a cambiar tus normas ni cambiar nada de cómo eres. Esa era mi última intención. —Juguetea con sus uñas mientras desplaza su peso de una pierna a otra—. Supongo que estoy... fascinada. No solo por lo que puedes hacer, sino por... —Mira hacia la pista y se cubre el rostro con la mano—. Uf. Creía que dispondría de unos días más para preparar este discurso. La verdad es que no me está saliendo como pensaba.

Resulta extraño estar tan cerca y no tocarla. Me inclino hacia delante sobre mis muslos y le sonrío.

—Creo que te está saliendo bien.

Anna baja la mano pero sigue tapándose el rostro. Aun así, sus ojos me dicen que también sonríe.

—Continúa... Estabas diciendo algo sobre estar fascinada.

Me acerco un poco más, pero ella mantiene los pies plantados en la nieve y se pone a juguetear con los cables de sus auriculares, enrollándolos y desenrollándolos alrededor de su dedo.

Y, de pronto, deja de moverse y me mira fijamente.

—Estoy enamorada de todo lo que eres.

Sus palabras me hacen dar un respingo, y cuando miro sus ojos veo algo que no he advertido durante algún tiempo: esa mirada de pura comprensión que me recuerda por qué le revelé mi secreto al principio. Esa sensación de asombro, cómo me miraba como si no pudiera llegar a conocerme lo suficiente.

Ya no puedo soportar la distancia. Me muevo en el banco y la nieve se acumula sobre mis vaqueros.

—Ven aquí.

La atraigo hacia mí, abriendo las piernas para que pueda estar de pie entre ellas. Anna apoya los antebrazos sobre mis hombros y baja la mirada hacia mí.

—No debería haberte presionado tanto para que rehicieras las cosas. Quiero decir, me alegro de que Emma esté bien y siempre te estaré agradecida por haberlo hecho posible, pero... me equivoqué obligándote a hacerlo.

—No te equivocaste, y desde luego no me obligaste

a hacer nada. —Mis dedos se posan sobre sus caderas—. Sentía tanta curiosidad como tú, y sabía lo que hacía. Jamás debí haberte echado la culpa. Solo estaba enfadado.

—¿Conmigo? —pregunta.

—No. Conmigo mismo.

Le aprieto las caderas un poco más fuerte y dejo caer la cabeza hacia delante hasta recostarla contra su estómago.

—¿Sabes en qué he estado pensando últimamente?

—¿En qué?

Sus dedos encuentran mi pelo y cierro los ojos. He echado de menos su forma de tocarme.

—Ojalá pudiera volar.

Su estómago sube cuando se echa a reír.

—¿Ahora también quieres volar?

—No —aclaro—. No además de, sino en lugar de.

—¿Por qué querrías volar?

Mantengo los ojos fijos en el suelo mientras mis pulgares trazan círculos pausados en su cintura.

—Nadie ha dicho nunca: «No deberías volar» ni «Piensa en todos los problemas que podrías causar si supieras volar», ¿no? Vuelas, contemplas la vista y vuelves a bajar. Un gran poder y ninguna responsabilidad.

—Tengo la sensación de que te aburrirías volando continuamente.

Sigo mirándome los pies, pero puedo oír la sonrisa en su voz.

—Es posible. Pero no tendría que preocuparme por cambiar el pasado sin querer. O toparme por casualidad con otro yo y mandar al más joven al lugar que le corresponde.

Vuelve a pasarme los dedos por el pelo.

—Te gustaba, ¿verdad? —pregunta—. Los rehacimientos.

Echo la cabeza hacia atrás para poder verle la cara, y sus manos vuelven a posarse sobre mis hombros. También sientan bien ahí. Se acerca otro pasito más.

—Sí... me gustaba. Me gustó lo que dijiste de las segundas oportunidades. Durante algún tiempo, casi me daba la sensación de que debía hacerlo, ¿sabes? Parecía... casi... correcto. —Sacudo la cabeza—. Lo volvería a hacer. Regresaría por Emma y por aquellos niños. Si hubiera podido ayudar a tu padre, lo habría hecho.

Anna me levanta la barbilla y me obliga a mirarla.

—Ya ayudaste.

No digo nada.

—¿Es él la verdadera razón de que creas que ya no debes volver aquí?

Asiento, aunque su padre solo es una parte.

—No me parece que sea justo.

—¿Para ti o para mí?

—Para todo el mundo. —Trato de apartar de la mente la visión en la que ella está en el camino de entrada de su casa dentro de diez años, mirando a un tipo que no es yo pero que la hace sonreír igual que yo—. Pero, supongo, sobre todo para ti.

Suspira profundamente.

—Pareces creer que de algún modo eres responsable de mi futuro. —Empiezo a responder, pero me pone un dedo sobre los labios—. Escúchame. Por favor, no digas nada. Tú no eres responsable de mi futuro, Bennett.

Claro que lo soy. Sería completamente distinto si nunca hubiera venido aquí.

—Es mío.

Sí, y te mereces uno más sencillo.

—Y te quiero en él.

Ni siquiera deberías conocerme.

Mira por encima de mi hombro, a lo lejos.

—No sé qué viste cuando fuiste hacia delante, y tengo la sensación de que no vas a decírmelo nunca. Y eso está bien. —Ahora me mira directamente a los ojos—. Deja de venir aquí si crees que no está bien para ti, o para... no lo sé, el *continuum* espacio-tiempo o lo que sea, pero no dejes de hacerlo por mí. Desde el principio no has parado de decir cómo afectabas mi futuro. Pero yo también afecto el tuyo. Este tiempo es el que has elegido. ¿Qué quieres tú?

Contesto lo primero que me viene a la cabeza.

—A ti.

Se le encienden los ojos.

—Me alegra oír eso.

—Pero no es tan sencillo.

—¿Por qué no?

—Porque no lo es.

Me aparta el pelo de la frente y me planta un beso.

—Quiero que formes parte de mi vida. Cuando no estabas en ella, me esforcé mucho por hacerte volver. Y aquí estamos. —Extiende los brazos a ambos lados y mira hacia la pista—. Pero ¿quién sabe qué pasará luego? Quizá dentro de un año los dos iremos a la universidad y ya no querremos esto. O, al cabo de cinco años, nos habremos cansado de toda esa distancia o la incertidumbre..., te habrás hartado de viajar adelante y atrás, o yo me cansaré de esperarte, o quizá toda esta situación se nos escapará de las manos. Pero ahora mismo los dos queremos estar juntos. ¿No crees que deberíamos estarlo?

Me quedo mirándola.

—Ya te lo he dicho, no es tan sencillo.

—Claro que lo es. —Me pasa el pulgar por la mejilla—. De hecho, hagámoslo aún más sencillo. No necesito ningún calendario. Me trae sin cuidado si estás aquí para las grandes ocasiones ni cuánto tiempo te quedarás cada vez. Solo necesito saber que volverás.

Cojo uno de sus rizos y lo enrollo alrededor de mi dedo, pensando en lo fácil que todo esto parecía al principio del curso escolar. Me acuerdo del día en que nos sentamos en mi cama, rodeados de mis pósters nuevos en una habitación que empezaba a parecerse mucho a mi hogar, y organizamos una agenda. Dios, qué engreído fui, convencido de que lo tenía todo planeado y que nada se interpondría en el camino de estar juntos mientras fuera eso lo que ambos quisiéramos.

—¿Pensarás en ello? —pregunta.

Aparto la mirada de ella y asiento con la cabeza.

—No hagas eso —dice Anna.

—¿Qué?

—Siempre puedo saber cuándo mientes. No me miras.

Fijo los ojos en los suyos.

—Pensaré en ello —declaro.

Y lo haré.

Pero sé que no cambiaré de opinión.

35.

Físicamente estoy aquí, en San Francisco. Pero me he pasado toda la mañana mentalmente ausente, sin dejar de pensar en la Navidad de 1995. Desde que vi a Anna en la pista de atletismo, he tratado de reunir el valor suficiente para volver allí, pero no he podido. Ahora que aquí es Navidad, todo ello parece inevitable.

Papá estira la mano debajo del árbol y monta un verdadero *show* para leer la tarjeta del último regalo.

—«De Bennett para Brooke» —dice, y lo lanza al aire.

Brooke lo pesca con ambas manos y lo sacude enérgicamente para tratar de adivinar su contenido. Ya está sonriendo cuando rasga el papel, pero una sonrisa de oreja a oreja aparece en su rostro cuando mira dentro. «No me digas.» Levanta los ojos hacia mí y procede a sacar las diez camisetas de conciertos «vintage», una tras otra. Por si mis padres sospechan mientras la observan, explico que las he encontrado en Internet, pero cuando Brooke me mira le guiño el ojo.

Abraza contra su pecho la camiseta de «Incubus 2007 World Tour».

—Me encantan —dice—. Gracias.

Mamá intenta pasarme por tercera vez la bandeja de

pastas de aspecto empalagoso, y una vez más levanto la mano para impedirlo. Agacha la cabeza y me dirige una mirada de madre preocupada. Estos últimos días no he comido mucho y mamá empieza a percatarse, así que cojo el pastelito más pequeño de la bandeja.

—Bueno, creo que eso es todo —dice papá, echando una última mirada al pie del árbol. Se levanta, endereza la espalda y se pasa la bola peluda de su gorro de Papá Noel de un hombro al otro como si fuera la borla de un birrete—. El intercambio de regalos de la Navidad 2012 ha concluido oficialmente —anuncia con los brazos en jarras.

Brooke le lanza una pelota de papel de envolver y le rebota en la frente.

—Voy a comprar música —digo, exhibiendo mi nueva tarjeta regalo de iTunes como prueba, y Brooke me lanza una mirada cómplice.

Ya ha accedido a encubrirme en caso de necesidad, pero eso no significa que se alegre de ello.

Empiezo a recoger mis regalos mientras mamá se dirige hacia la cocina con un puñado de platos y papá la sigue llevando una bolsa de basura repleta de envoltorios de regalos. Por el rabillo del ojo veo a Brooke mirándome desde el otro lado del sofá. En cuanto lo tengo todo, me encamino hacia la escalera. Estoy en el primer peldaño cuando la oigo decir mi nombre, pero niego con la cabeza y sigo subiendo sin volverme. ¿Para qué? Solo tratará de hacerme desistir otra vez.

Cuando me he duchado y vestido, rebusco en el fondo de mi armario hasta que encuentro mi mochila y hago un último inventario. Hay botellas de agua, Coffee Shots y Red Bulls; Kleenex y una camiseta limpia, por si acaso, y en el fondo, el álbum de fotos de Anna. Lo saco y lo hojeo, y me vienen náuseas al pensar en devolvérselo. Pero no puedo tenerlo aquí.

Vuelvo a meter el álbum y me cargo la mochila sobre los hombros. No hay ningún motivo para entretenerme más, así que me imagino el lateral de la casa de Anna, donde la pintura amarilla se está agrietando y desconchando, y cierro los ojos. Pero antes de que pueda irme, se abren de golpe.

Y ahí está esa idea ridículamente estúpida. No solo es estúpida, sino también peligrosa y algo más que patética. Pero es mi último viaje durante quién sabe cuánto tiempo, y no he podido quitarme de la cabeza al tipo con el que estaba aquella noche. Y saber quién es podría proporcionarme algo de paz. Me vendría bien un poco de paz.

Aprieto los párpados con fuerza y, antes de que pueda disuadirme de ello, los abro delante de una casa pintada de gris con un ribete blanco.

Después de un rápido vistazo alrededor para cerciorarme de que estoy solo, espío a través de la ventana de la cocina. Dentro, la señora Greene está en el mismo sitio, vestida exactamente igual y preparando la misma comida que la última vez que me presenté aquí en 2005 y no debería haberlo hecho.

Me quedaré cinco minutos. Diez como máximo. Solo el tiempo suficiente para verle.

Miro el camino de entrada y lo encuentro cubierto por una capa de nieve pero desierto. Cuando regreso a la ventana, la madre de Anna sigue de pie delante del horno, y observo cómo el señor Greene se le acerca furtivamente por detrás y le rodea la cintura con los brazos. Le da un fugaz beso en la mejilla, y ella sonríe y se escabulle, pegándole en la mano con la cuchara de madera. Él se ríe y vuelve a besarla. Entonces se dirige hacia el fregadero y mira a través de la ventana que da a la calle, como si esperase que llegara alguien.

Debería estar aquí de un momento a otro. Escucho

los sonidos del vecindario, pero no se oye nada. Está completamente en silencio.

—Necesitas hacer algo. —A diferencia de la última vez, la ventana está un poquito abierta y puedo oír todo lo que ambos dicen. La señora Greene se dirige hacia el cajón contiguo al frigorífico y saca unos cubiertos—. Toma —dice, pasándoselos a su marido—. Pon la mesa. Dios mío, eres como un niño pequeño.

—Déjame en paz, estoy entusiasmado.

El hombre accede al comedor y durante un par de minutos desaparece de mi vista. Regresa con las manos vacías.

—¿Ya has puesto las copas? —pregunta ella.

—Todavía no, pero lo haré. —Saca cuatro vasos de agua de uno de los armarios y vuelve a por cuatro copas de vino—. ¿No te parece intrínsecamente injusto tener que coger un avión para ir a ver a tu familia?

La madre de Anna se echa a reír ruidosamente.

—Sí, deberías haberlo pensado cuando colgaste un mapa del mundo en su pared y le diste una caja de chinchetas para marcar todos los sitios a los que iría.

Él se encoge de hombros y lleva las copas a la mesa, y observo a la señora Greene mientras remueve el contenido de la cazuela.

—Deberías haber sabido que jamás se quedaría —dice, más para sí misma que para él.

Me imagino el mapa colgado en la pared de Anna, preguntándome brevemente si aún sigue allí, y antes de darme cuenta estoy cerrando los ojos y abriéndolos en su habitación. Está a oscuras y tengo que parpadear varias veces para adaptarme, pero luego me giro despacio captando todo lo que hay a mi alrededor.

Las dimensiones son las mismas, pero nada más es igual. Las estanterías de Anna han desaparecido y, con ellas, los trofeos y los CD que sostenían en 1995. Ya no hay fotos ni dorsales de carreras, ni guías de viaje salpicando las superficies del mobiliario. El mapa no está, y tampoco la caja de chinchetas. Todas las cosas que importaban en la vida de Anna a los dieciséis años no son importantes en su vida a los veintiséis, al menos en esta casa.

Han movido la cama a otra pared y está cubierta por un edredón distinto. Me acerco despacio y me siento. Paso una mano por la superficie y me pregunto si comparten esta habitación cuando vienen de visita. Seguramente él no tiene que dormir en el sofá como hice yo. Apuesto que le permiten holgazanear con ella por las mañanas, sin tener que salir a hurtadillas antes de que amanezca. ¿Deshacen las maletas y cuelgan sus respectivas ropas juntas en el armario? ¿Le sirve café el señor Greene por la mañana?

Venir a esta habitación ha sido una mala idea.

Me levanto y cierro los ojos para regresar a mi lugar bajo la ventana de la cocina. Me pregunto por qué tardan tanto en llegar.

Tan pronto como abro los ojos, oigo unos neumáticos crujiendo despacio sobre la nieve, así que espío desde detrás de la esquina y luego me escondo detrás del árbol, como hice la última vez.

La luz de los faros aún dista unas cuantas casas, pero el señor Greene también debe de haber oído el coche, porque la puerta principal se abre de golpe y sale al porche. Baja las escaleras de delante y espera al borde del camino de entrada, jugueteando con los botones de su chaqueta sport.

Se me acelera el corazón cuando la parte delantera del coche dobla el seto y dos haces de luz iluminan el césped cubierto de nieve.

Creo que voy a gritar.

Siento un nudo en el estómago y la cabeza a punto de estallar. Me arden los ojos y, sin pensarlo siquiera, los cierro con fuerza. Cuando por fin los abro, me encuentro allí donde estaba cuando me marché: de pie en el centro de mi habitación en San Francisco.

Me dirijo dando traspiés hacia la cama y me siento. Estoy temblando y sudando, pero cuando miro alrededor y comprendo lo que acaba de ocurrir, me echo a reír con fuerza sin poder contenerme. Eso hace que mi jaqueca empeore mucho más, pero por lo visto no puedo parar.

He vuelto.

Estoy temblando, sudando y riendo y... de vuelta.

Me levanto y me toco la cara, las piernas. Me sacudo de los pies la nieve de Evanston y observo cómo se acumula sobre mi moqueta de San Francisco. Giro trescientos sesenta grados.

He vuelto.

He salido rebotado.

Y solo hay una razón de que haya sucedido eso.

Anna forma parte de mi futuro y yo formo parte del suyo. Y eso es lo que necesitaba saber, aunque existan un millón de cosas grandes y pequeñas que podrían ir mal entre ahora y entonces.

Mi mochila aterriza rebotando en la cama y abro la cremallera, vacío una botella de agua lo más rápido que puedo y acto seguido rebusco en el fondo. Cuando encuentro el álbum de fotos de Anna, lo lanzo encima de mi edredón, donde mamá o papá puedan dar con él fácilmente si entran cuando me haya ido. No hay ningún motivo para esconderlo porque Anna ya no será ningún secreto aquí. Cumpliré la mayor parte de las promesas que hice a mis padres —basta de ir a hurtadillas, basta de mentiras—, pero eso de «basta de viajes» quedará sin efecto.

El Doubleshot me provoca una mueca cuando lo engullo, y luego me bebo otra botella de agua. Regreso al centro de la habitación y sacudo los brazos. Todavía me noto las piernas temblorosas cuando cierro los ojos.

36

La casa de Anna es del color que le correspondería en 1995.

Sin darme tiempo a procesar ninguna información más que esa, doblo la esquina corriendo, subo las escaleras de delante a la carrera y aporreo la puerta principal. Aún tengo la boca seca y la cabeza algo turbia. Puedo notar el sudor en mi frente aun cuando mis zapatos están cubiertos de nieve reciente. Pero cuando la puerta se abre de golpe y veo a Anna allí de pie, me olvido de todo lo demás.

El corazón me late con fuerza en el pecho.

—Hola —digo, mesándome los cabellos.

—Hola.

Sale al porche, cierra la puerta a su espalda y yo retrocedo unos pasos para dejarle sitio. Se planta frente a mí, aparentemente confusa, como si tratara de entender la expresión de mi cara pero no pudiera. Se envuelve el cuerpo con un brazo y se sujeta el codo.

No sé por dónde empezar. No tengo la menor idea de qué decir ahora mismo. Lo único en que puedo pensar es en que dentro de diez años los dos estaremos en el mismo coche, llegando aquí, subiendo estas escaleras y accediendo a este porche, juntos. Me miro los pies porque no puedo mirarla a ella y juntar las palabras apropiadas al mismo tiempo.

—Di algo, por favor —pide Anna, soltando una risa nerviosa—. Me tienes en ascuas.

Se le atranca la voz.

Fijo mis ojos en los suyos.

—Estaba equivocado —digo, y las lágrimas empiezan a resbalar por sus mejillas, una tras otra—. Estaba convencido de que no debía formar parte de tu futuro, pero ahora creo que... estoy en él.

Frunce los labios con fuerza y asiente rápidamente mientras se aparta el pelo de la cara.

—Claro que estás en él —responde.

Y entonces me mira, aún con las mejillas surcadas de lágrimas, y sonríe. Esa sonrisa. Mi sonrisa. Me pertenece otra vez.

Avanzo dos pasos y le echo los brazos al cuello, entrelazando los dedos a través de sus rizos y oliendo su pelo. Noto que hunde el rostro en mi camiseta y me rodea la cintura con sus brazos. Me estrecha con fuerza, tan pegada a mí como le es posible. Nos quedamos así un buen rato.

No sé si estaba equivocado. Podría estarlo ahora. Pero me siento bien por dentro por primera vez en más de un mes y por lo visto estoy conforme con eso, haciendo caso omiso de los riesgos, los interrogantes y las consecuencias. De nuevo. ¿Cómo puedo no estarlo?

El viento es cortante y cuando finalmente me separo de Anna, descubro que tiene las mejillas tan rojas como el jersey que lleva puesto. Se las beso. Y luego le tomo el rostro entre mis manos.

Este beso resulta completamente distinto a todos los demás. No es como el de la pista de atletismo el otro día, cuando trataba de no infundirle falsas esperanzas. Ni se parece en nada al que le di cuando llegué por primera vez a la ciudad, eufórico y lleno de convicción, seguro de que podríamos hacer funcionar esto pese a las considerables posibilidades en nuestra contra. La beso como si acabara de regresar de un largo viaje y estuviera loco de contento de haber vuelto a casa.

Apoyo mi frente contra la suya. No logro contener mi sonrisa.

—¿Qué te ha hecho cambiar de opinión? —pregunta Anna.

Le doy la única respuesta que tengo.

—Tú. En un montón de maneras distintas.

Nos besamos de nuevo, y este beso resulta mucho más conocido. Me imagino su habitación en el piso de arriba, con su aspecto habitual, y me muero de ganas de estar a solas con ella allí.

Cuando Anna se separa, apenas deja espacio entre nosotros.

—Me estoy helando aquí fuera —dice, rozando sus labios contra los míos—. Entra. —Otro besito—. Además, tienes regalos por abrir.

Regalos. En plural. Yo solo le he traído una cosa.

—¿Regalos? —pregunto.

Me besa en la mejilla.

—Yo te he comprado algo. Mis padres te han comprado también un par de cosillas. —Retrocedo un poco. ¿Sus padres? Ni se me había pasado por la cabeza que me hicieran regalos—. No te preocupes —añade, leyéndome los pensamientos—. No esperan que les traigas nada.

Anna se dirige hacia la puerta principal y la sigo, pero cuando la abre y entra, me paro en seco.

Se vuelve a mirarme. Dios, parece contenta, aliviada, hermosa y perfecta allí de pie, esperando que la siga.

Debo de tener una expresión embobada en la cara, porque de repente me sonríe.

—¿Qué pasa? —pregunta.

Muevo la cabeza.

—Nada. Solo estaba pensando en la primera vez que vine aquí.

Los dos habíamos hecho novillos. Yo me había quedado plantado en el porche en el mismo sitio, y Anna estaba dentro también en el mismo lugar. Cuando abrió la puerta esperaba que me tuviera miedo después de haberle demostrado sin querer lo que podía hacer, pero en lugar de eso se mostró atolondrada y curiosa, impaciente por saber cómo había hecho la magia que podía haberle salvado la vida la noche anterior.

Pero aquel día había algo más en su expresión. Quería conocerme, conocerme de verdad, y me quedé inmóvil, percatándome de que quería que fuera ella la persona a la que le contara todos mis secretos.

Sabía que no sería sencillo. Que si franqueaba aquella puerta y entraba en su mundo, la vida de ambos cambiarían para siempre. Aun así, parecía que valía la pena correr ese riesgo por ella. Ahora sé que sí.

Así pues, como hice aquel día, respiro hondo y entro. Anna cierra la puerta a mi espalda.

No debería estar aquí.

Pero estoy aquí.

Agradecimientos

Este libro no habría sido posible sin el amor y el apoyo incondicionales de mi marido, Mike. Se aseguró de que no me olvidara de comer, hizo las veces de superpapá y todavía encontró tiempo para leer esta historia y darme consejos. Él es el amor de mi vida y ha estado siempre a mi lado; incluso tenemos un candado en el Pont des Arts que lo demuestra.

Adoro escribir, pero de vez en cuando me aparta de mi verdadero amor: mis hijos. Estoy agradecida a Aidan y a Lauren por permitirme ser tanto escritora como madre, y por entender que resulta difícil destacar en ambas cosas al mismo tiempo. Mi mundo gira en torno a estos dos increíbles seres humanos y no quisiera que fuera de otro modo.

¡Vaya, mi familia se ha convertido en un grupo de admiradores ruidosos! Ni siquiera sé cómo empezar a darles las gracias por todas sus palabras de apoyo y ánimo. A los muchos, muchísimos miembros de las familias Ireland, Cline/Reinwald y Stone: gracias de todo corazón. Habéis hecho que este último año fuera muy divertido.

Mis amigos sencillamente me han llevado en volandas

345

con sus palabras amables y su constante apoyo a esta nueva empresa mía. Un agradecimiento especial para Jennifer Fall, quien me inspiró con su historia sobre los candados del amor.

Cuando escribí *El tiempo entre nosotros,* tuve que reflexionar sobre la temporada que viví en Evanston, Illinois. Escribir *Una y otra vez* me ha llevado aún más atrás, a la época posuniversitaria en San Francisco, cuando seis mujeres increíbles aparecieron por arte de magia en mi vida. Están esparcidas por estas páginas, Sonia Painter, Renée Austin, Shanna Draheim, Marie Bahl, Kristin Wahl y Lynette Figueras Spievak. Estábamos destinadas a ser amigas. San Francisco es nuestra ciudad. Y, en efecto, somos las personas más divertidas que conocemos.

Hace un año no tenía ni idea de la existencia de la comunidad de blogueros de libros, pero ahora la conozco. Estos apasionados lectores hacen girar nuestro mundo, y les estoy sumamente agradecida por todo lo que hacen por difundir los libros, no solo los míos, sino todos los libros. Aun así, a todos aquellos que proclamáis mis historias a los cuatro vientos, me siento abrumada. Gracias. Estoy igualmente agradecida a los maravillosos libreros de los comercios independientes de mi ciudad: Books, Inc.; A Great Good Place for Books; Book Passage; Barnes & Noble; Walnut Creek, y Orinda Books por todo su apoyo.

Mucha gente de mi vida reúne los conocimientos que necesito para mis historias y en realidad no poseo. Mil gracias a Mark Holmstrom por continuar las lecciones de escalada en roca, y al doctor Martin Moran y al doctor Mike Temkin por ayudarme a entender otra afección médica de la que nada sabía.

Mi agente, Caryn Wiseman, no solo representa mi obra con pasión, sino que además comparte pacientemente lluvias de ideas conmigo, lee un borrador tras otro y me proporciona aliento cuando más lo necesito. Gracias, Caryn.

Siempre estoy agradecida a mi fenomenal editora, Lisa Yoskowitz. No sé si otros autores llegan a reírse con sus correcciones, pero yo sí. Gracias por querer a estos personajes, por preocuparte tanto de cada palabra y, sobre todo, por ser Lisa.

Es un honor formar parte de la familia Disney-Hyperion. Mil gracias a todo el equipo, y un agradecimiento especial a Stephanie Lurie y a Suzanne Murphy por creer en estos dos libros desde el principio; a Whitney Manger por crear otra cubierta preciosa, y a mi maravilloso publicista Jamie Baker.